FALA BRASIL
Português para Estrangeiros

Dados de Catalogação na Publicação (CIP) Internacional
(Câmara Brasileira do Livro, SP, Brasil)

Patrocínio, Elizabeth Fontão do.
     Fala Brasil: português para estrangeiros / Elizabeth Fontão do Patrocínio, Pierre
Coudry. — Campinas, SP: Pontes, 5ª edição, 1994.

     ISBN 85-7113-082-5

     1. Português — Estudo e ensino — Estudantes estrangeiros I. Coudry, Pierre II.
Título.

89-1271   CDD-469.824

Índices para catálogo sistemático:
1. Português : Livros-texto para estrangeiros 469.824
2. Português para estrangeiros 469.824

ELIZABETH FONTÃO DO PATROCÍNIO e PIERRE COUDRY

FALA BRASIL
Português para Estrangeiros

5ª EDIÇÃO
(Totalmente revisada)

1994

Coordenação Editorial: Ernesto Guimarães
Capa: João Baptista da Costa Aguiar
Projeto gráfico: Sílvio Macedo
Ilustrações: Henrique Farias
             Osiris
              Paulo José
             Vlad Camargo
Preparação dos originais: Ernesto Guimarães
Revisão: Adagoberto Ferreira Baptista
         Maria Clarice Sampaio Villac
Composição: Typelaser Desenvolvimento Editorial Ltda.
Fotolito: Central Reproduções Ltda.
Impressão e acabamento: FCA Gráfica e Editora

PONTES EDITORES
Rua Maria Monteiro, 1635
13.025-152 — Campinas — São Paulo — Brasil
Fone/Fax: (0192) 52-6011
           52-6661

1994
Impresso no Brasil

SUMÁRIO

ÍNDICE GRAMATICAL

VERBOS IRREGULARES		
	PRESENTE	PASSADO PERFEITO
atribuir	115	—
caber	136	—
cair	102	—
cobrir	101	—
construir	115	—
dar	68	50
descobrir	101	—
destruir	115	—
distribuir	115	—
dizer	86	86
dormir	101	—
estar	32	121
fazer	68	43
fugir	102	—
haver (imp.)	99	99
ir	64	24
ler	102	—
medir	101	—
odiar	136	—
ouvir	101	—
passear	136	—
pedir	101	—
perder	102	—
poder	86	86
pôr	68	50
preferir	101	—
querer	86	86
repetir	101	—
rir	115	—
saber	86	86
sair	102	—
sentir	101	—
ser	08	121
sorrir	115	—
subir	102	—
substituir	115	—
ter	68	121
trazer	68	50
valer	136	—
ver	86	86
vestir	101	—
vir	68	50

Há uma pessoa cujo trabalho e
pesquisa de toda uma vida
influenciaram de forma
definitiva a elaboração deste livro.
A Cida Coudry, todo o
nosso reconhecimento.

Beth e Pierre.

APRESENTAÇÃO

A acessibilidade de *Fala Brasil* dispensa o uso de um manual do professor. O método, composto deste volume de um Caderno de Exercícios, e de um conjunto de fitas K7, pode ser usado individualmente ou em grupo por falantes de qualquer idioma. O uso do francês e do inglês no vocabulário e nas instruções iniciais, apenas facilita o manuseio e a compreensão para o grande número de falantes dessas línguas. As fitas K7 são auxiliares no processo geral de ensino-aprendizagem e fundamentais para a aquisição da fonética, do ritmo e da entonação.

Todo método em forma de livro força a uma seqüência linear (unidade 1, 2, 3...). O sistema de índices adotado neste livro, entretanto, possibilita uma utilização voltada às necessidades de cada aluno, não só as que se referem às situações, mas também aquelas relacionadas às estruturas gramaticais. A formação do futuro, por exemplo, é apresentada na Unidade VI, mas pode ser antecipada no caso de um aluno que, fazendo planos de viagens, sinta necessidade de se exprimir nesse tempo. Embora lineares, as unidades não são compartimentos estanques: as estruturas e as situações são retomadas proporcionando um crescimento consistente e homogêneo na aprendizagem do aluno.

A gramática é, para nós, um instrumento que ajuda o aluno a se comunicar. O verbo-ação, eixo gramatical do livro, é apresentado nas seguintes etapas:

I - Modelo das terminações - **Sistematização**
II - **Perguntas e Respostas** - automatização
III - **Diálogos Dirigidos** - inserção da estrutura em contextos verossímeis.
IV - Encadeamento e organização de idéias - orientação para produção oral e escrita.
V - Autonomia.

O destaque de *Fala Brasil* é a Sistematização feita com base no uso efetivo da língua. Os Diálogos Dirigidos são o elo de ligação entre a simples capacidade de conjugar um verbo e a capacidade de utilizá-lo em situações práticas, favorecendo assim um equilíbrio entre fluência e acuidade. A dramatização desses diálogos é um ótimo recurso para ampliar o vocabulário e aprender o uso de expressões idiomáticas, já que foram coletadas em diferentes contextos de uso real da língua. As propostas de exercícios tanto orais quanto escritos fogem da artificialidade, procurando conservar o caráter funcional da linguagem.

Outro ponto a destacar é a apresentação da cultura brasileira em situações da vida cotidiana de modo a evitar os aborrecidos textos informativos - informações mais objetivas (fatos históricos, políticos) encontram-se num quadro cronológico ao final do livro.

Elizabeth Fontão e Pierre Coudry

PRESENTATION

The facility of *Fala Brasil*, makes the use of a teacher's manual unnecessary. The method, consisting of this volume together a workbook and cassettes, can be used by individuals or groups of any language. The use of English and French in the vocabulary and initial instructions makes the use and comprehension easier for speakers of these languages. The cassettes are supplemental in the general process of teaching and learning but fundamental for the correct acquisition of phonetics, rhythm and intonation.

Every method in the form of a language learning book forces a linear sequence (Unit 1, 2, 3...). However, in this book, the system of indices can direct the students to their specific needs, not only in reference to the practical situations but also to the area of grammar. For example, the future tense is presented in unit 6 but can be studied in advance by a student making plans for a trip who feels the need to make use of this tense. Although linear, the units are not isolated. The method in which structures and situations are reviewed provide consistent and uniform growth of learning.

We consider the grammar as an instrument that helps the student to communicate. The verb, which is the grammatical focus of this book, is presented in the following steps:

1. Models of verb endings - systematizing structures.
2. Questions and answers - making responses automatic.
3. Directed dialogues - inserting the structure in real life situations.
4. Linking and organizing ideas - giving guidance for oral and written prduction.
5. Autonomy - using the language on your own.

The emphasis of *Fala Brasil* is the systemization based on the day to day use of the language. The directed dialogues are the link between the simple capacity to conjugate the verbs and the capacity to use them in practical situations, providing a balance between correctness and fluency. The dramatization of these dialogues is an ideal method to increase vocabulary and to learn the use of idiomatic expressions, since these have been taken from real life situations. The exercises, both oral and written, are not artificial, but are meant to conserve the functional use of the language.

Another point to note in the interesting presentation of brazilian culture in the mode of everyday situations, there by avoiding boring texts. More objective information (historical and political facts) is placed in chronological order at the end of the book.

Elizabeth Fontão e Pierre Coudry

AVANT PROPOS

I - Moyens pédagogiques

1. *Le matériel pédagogique* est composé des éléments suivants:
   - 1 livre-texte
   - 1 livre d'exercices
   - des cassettes

   Nous considérons que l'accès à la méthode *Fala Brasil* est tellement facile qu'un "livre du professeur" devient parfaitement dispensable.

2. *L'anglais et le francais: des outils langagiers.* Ces deux langues ont été utilisées afin de permettre aux étudiants une compréhension plus rapide des instructions préliminaires et du vocabulaire spécifique.

3. *Les cassettes enregistrées* reproduisant les dialogues des situations, les exercises oraux etc constituent une aide précieuse pendant le processus "enseignement-apprentissage", surtout en ce qui concerne l'acquisition de la phonétique, du rythme et de l'intonation.

II - FALA BRASIL: une méthode ouverte

1. *Le livre didactique.* Toute méthode qui est présentée sous forme de livre didactique contraint l'étudiant à une séquence linéaire, constituée d'unités numérotées: Unité 1, Unité 2, Unité 3 etc. Nous avons adopté un système de "tables de matières" qui renvoient l'étudiant soit aux situations proposées soit aux structures grammaticales. Ce système crée une ouverture méthodologique, laquelle donne à l'étudiant une liberté d'utilisation du livre selon ses propres besoins langagiers. Par exemple: la formation du futur est présentée dans l'Unité 6. Cette forme verbale, cependant, pourra être anticipée, si l'étudiant en a besoin pour exprimer ses plans de voyage.

   Donc, les unités de *Fala Brasil*, quoique linéaires, ne sont pas des compartiments étanches, au contraire, les éléments de chacune d'elles sont répétés à plusieurs reprises, permettant à l'étudiant d'obtenir une croissance consistante et homogène de son apprentissage.

2. *La grammaire.* Elle est un instrument qui aide l'étudiant dans l'acte de communication. Le "verbe-action", qui constitue l'axe grammatical de la méthode *Fala Brasil*, est présenté, en suivant les étapes ci-dessous:
   a) Modèle des terminaisons: systématisation.
   b) Questions et Réponses: automatisation.
   c) Dialogues Dirigés: réutilisation des structures verbales dans des contextes pragmatiques.
   d) Enchaînement et organisation des idées: orientation en vue de la production orale et écrite.
   e) Autonomie.

Quelques considérations explicatives:

- Un relief spécial est donné à la *systématisation*, qui est fondée sur les besoins langagiers de l'individu.
- Les *Dialogues Dirigés* constituent la liaison étroite entre la simple capacité de conjuguer un verbe et la capacité de l'utiliser dans des situations pratiques - ce qui crée l'équilibre entre la fluence et l'acuité de l'esprit.
- Les *jeux de rôles*, à partir des dialogues dirigés, sont une excellente ressource pour augmenter le vocabulaire et pour apprendre à employer des expressions propres au portugais parlé au Brésil, étant donné qu'elles ont été prises sur le vif.
- Les exercices proposés (oraux et écrits) ne sont pas artificiels et essaient de garder le caractère fonctionnel du langage.

Note: Nous avons tenu aussi à présenter les différents aspects de la culture brésiliense dans des situations de la vie quotidienne, en écartant ainsi les textes informatifs et ennuyeux.

A la fin du livre, on trouvera également d'autres informations objectives, telles que des faits historiques et politiques, sous forme de tableau chronologique.

Elizabeth Fontão e Pierre Coudry

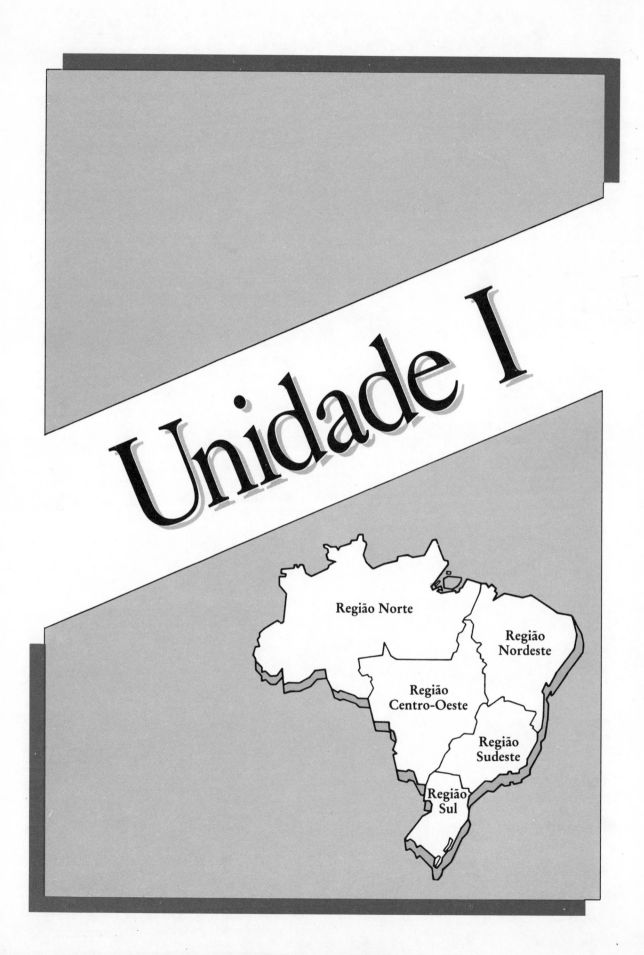

Unidade I

— Bom dia, dona Maria. Como vai a senhora?
— Bem, obrigada. E você, Paulo?
— Bem, obrigado.

— Bom dia, seu Marcos. Como vai o senhor?
— Bem, obrigado, e a senhora?
— Bem, obrigada.

Expansão

FORMAL

Bom dia!

Boa tarde!

Boa noite!

INFORMAL

Oi!

Como vai?   Bem, obrigado.   Tudo bem?   Tudo bem.
               Bem, obrigada.   Tudo bom?   Tudo bom.

I) PRONOMES

Português	Inglês	Francês
EU	I	*JE*
TU/VOCÊ	YOU	*TU*
ELE/ELA	HE/SHE	*IL/ELLE*
NÓS	WE	*NOUS*
VOCÊS	YOU	*VOUS*
ELES/ELAS	THEY	*ILS/ELLES*

Observação: **Tu** é usado apenas em algumas regiões do país. **Você** pode ser usado em todo o Brasil.

Tu is used only in some regions of the country. **Você** can be used all over Brazil.

Tu n'est employé que dans quelques régions du pays. Você *peut être employé dans tout le Brésil.*

II) FONÉTICA

Alfabeto: A B C D E F G H I J L M N O P Q R S T U V X Z

VOGAIS ORAIS

Língua subindo em direção aos dentes.
Tongue going up in direction of teeth.
Langue montant vers les dents.

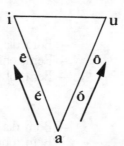

Língua para trás.
Tongue going back.
Langue vers l'arrière.

Agora, observe a diferença entre a vogal tônica (mais forte) de Ele e a de Ela.
Observe the difference between the stresses vowel of "Ele" and the one of "Ela".
Observez la différence entre la voyelle tonique de "Ele" et celle de "Ela".

/a/	/Ɛ/	/e/ (ê)	/i/	/ɔ/ (ó)	/o/ (ô)	/u/
casa	pé	mesa	bis	avó	avô	uva
lata	café	caneta	aqui	bola	bobo	tatu
mapa	fé	tapete	fina	moda	ovo	aluno
faca	até	você	giz	coca	bolo	luta
vaca	ela	ele	ali	soda	fogo	puxa

Observação: **Seu** Alfredo é a forma coloquial de **Senhor** Alfredo.

Exercício

1. Agora, complete:

— Bom dia, seu Lino. Como vai _____?

— Bem, obrigado. E _____, Paulo?

— Oi, Paula, tudo bem?

— Tudo bem, dr. Renato. E _____?

— Boa tarde, Cássia. Como vai?

— Bem, obrigada. E a _____, dona Maria?

— Oi, Luíza, tudo bem?

— Tudo bom. E _____, Elisa?

— Boa noite, seu José. Como vai o senhor?

— Bem, obrigado. E _____, dr. Silva?

Luís: Oi, Marina. Tudo Bem?
Marina: Tudo bem. E você?
Luís: Tudo bem. Marina, essa é minha amiga Cláudia.
Marina: Muito prazer.
Cláudia: Igualmente.

José: Bom dia, dra. Rosa. Como vai a senhora?
Rosa: Bem, obrigada. José, esse é Paulo, meu marido.
José: Muito prazer.
Paulo: O prazer é meu.

Expansão

Marido - Esposa ou mulher
Aluno - Aluna
Professor - Professora

Exercícios

2. Observe o diálogo entre dona Maria e seu José:
Observe the dialogue between dona Maria **and** seu José:
Observez le dialogue entre dona Maria *et* seu José:

— Boa tarde, seu José. Como vai o senhor?
— Bem, obrigado, e a senhora?
— Bem, obrigada.

Exercite a partir das sugestões:
Practice it according to the suggestions:
Pratiquez-le d'après les suggestions:

a) dr. Celso × dona Ana
b) Paulo × Marta
c) dra. Vera × seu José
d) Cássia × dona Rosana
e) dr. César × Paula

3. Agora, observe Nélson apresentando seu professor a uma amiga:

Now, you are going to observe Nélson **introducing his teacher to a friend:**

Maintenant observez Nélson *qui présente son professeur à une amie:*

Exemplo: Nélson →

Professor × Amiga

Exercite a partir das sugestões:

a) Lúcia → Aluno × Renata
b) Mauro → Esposa × Celso
c) dra. Rosa → Marido × Luíza
d) Paulo → Mulher × seu Pedro
e) dona Vera → Amiga × dr. César

Sistematização

III) FONÉTICA (SONS NASAIS)

/ã/ [(a) nasal]	/ãw/ [ditongo nasal]
fã	não
santo	pão
samba	limão
lã	João
anjo	fogão
irmã	mamão
sã	sabão
maçã	mão
tampa	balão
	lampião
	bujão
	irmão
	cantam
	cantaram
	venderam
	saíram

— Paulo, você é americano?
— Não. Eu sou brasileiro.

— Maria, Paulo, vocês são professores?
— Não. Nós somos alunos.

— Márcia, o Pedro é casado?
— Não. Ele é solteiro.

— Dr. Mauro, o senhor é médico?
— Sou.

— Ana, eles são brasileiros?
— Não. Eles são americanos.

Sistematização

IV) Você já aprendeu uma das situações em que o verbo SER é usado: para identificar. Vamos sistematizar sua conjugação.
You have already learnt one of the situations which the verb SER is used: to identify. Let's systematize its conjugation.
Vous avez déjà appris une des situations où le verbe SER est employé: pour identifier. Systématisons sa conjugaison.

Eu	*sou*
Você	*é*
Ele/Ela	*é*
Nós	*somos*
Vocês	*são*
Eles/Elas	*são*

PERGUNTAR O NOME: Qual é o seu nome?
What's your name?
Quel est votre nom?

— Qual é o seu nome?
. — Meu nome é Maria.

— Qual é o seu nome?
— Meu nome é Paulo.

— Qual é o nome dele?
— O nome dele é Celso.

— Qual é o nome dela?
— O nome dela é Ana.

— Qual é seu sobrenome?
— Teixeira. Meu nome
completo é José Teixeira.

4. Forme frases usando o verbo SER:
Make sentences using the verb SER:
Faites les phrases en utilisant le verbe SER:

Pedro   brasileiro
Eu   professor
Ana   casada
Nós   alunos de português
Elas   irmãs
Maria e Paulo   médicos
Você   inteligente
Ela   alemã
Paulo e José   engenheiros
Vocês   estudiosos

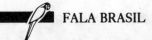

V) PRONOMES POSSESSIVOS

eu — meu(s) minha(s)
(tu) — teu(s) tua(s)
você — seu(s) sua(s)
ele — dele [seu(s) sua(s)]
ela — dela [seu(s) sua(s)]
nós — nosso(s) nossa(s)
vocês — seu(s) sua(s) de vocês
eles — deles [seu(s) sua(s)]
elas — delas [seu(s) sua(s)]

COLUNA 1	COLUNA 2	COLUNA 3
eu	o sapato	(o) MEU sapato
eu	os tênis	(os) MEUS tênis
eu	a camisa	(a) MINHA camisa
eu	as calças	(as) MINHAS calças
você	o relógio	(o) SEU relógio
você	os sapatos	(os) SEUS sapatos
você	a meia	(a) SUA meia
você	as blusas	(as) SUAS blusas
ele	o relógio	(o) relógio DELE
ele	os sapatos	(os) sapatos DELE
ele	a camisa	(a) camisa DELE
ele	as calças	(as) calças DELE
ela	o vestido	(o) vestido DELA
ela	os cintos	(os) cintos DELA
ela	a saia	(a) saia DELA
ela	as sandálias	(as) sandálias DELA
nós	o carro	(o) NOSSO carro
nós	os filhos	(os) NOSSOS filhos
nós	a filha	(a) NOSSA filha
nós	as bolsas	(as) NOSSAS bolsas

PRONOMES POSSESSIVOS
(continuação)

vocês	o filho	(o) SEU filho (o filho de vocês)
vocês	os pais	(os) SEUS pais
vocês	a filha	(a) SUA filha (a filha de vocês)
vocês	as malas	(as) SUAS malas

eles	o cachorro	o cachorro DELES
eles	os maiôs	os maiôs DELES
eles	a casa	a casa DELES
eles	as meias	as meias DELES

elas	o carro	o carro DELAS
elas	os filhos	os filhos DELAS
elas	a casa	a casa DELAS
elas	as malas	as malas DELAS

Exercício

5. Agora, tente você cobrindo a coluna 3:
   Now, you try covering column 3:
   Maintenant, essayez vous-même, en couvrant la colonme 3:

> **NOTA:** Linguagem oral: Mário e o filho *dele*.
> Linguagem escrita: Mário e o *seu* filho.

Sistematização

VI) Em português, muitas vezes, o artigo precede o nome. Vamos sistematizar:

Many times in portuguese the article precedes the noun. Let's systematize:

En portugais, bien souvent, l'article précède le nom. Systématisons-les:

ARTIGOS				
	DEFINIDOS		INDEFINIDOS	
	Masculino	Feminino	Masculino	Feminino
Singular	o	a	um	uma
Plural	os	as	uns	umas

RESUMO

VOCÊ É CAPAZ DE
You are able to
Vous êtes capable de

1. Cumprimentar   — Como vai?
                                  — Bem, obrigado(a).

2. Apresentar   — Esse é meu amigo...
                                  — Essa é minha amiga...
                                  — Muito prazer.
                                  — Igualmente.

3. Perguntar o nome — Qual é o seu nome?
                                  — Meu nome é...

4. Identificar   VERBO SER

GRAMÁTICA

1. Pronomes pessoais (eu, você, ele, ela, nós etc).
2. Pronomes de tratamento (o senhor, a senhora).
3. Pronomes possessivos (meu, minha, seu, seus etc).
4. Artigos definidos (o, a, os, as) e indefinidos (um, uma, uns, umas).
5. Pronome interrogativo *qual*.
6. Fonética (vogais orais, vogal nasal /ã/, ditongo nasal /ãw/).

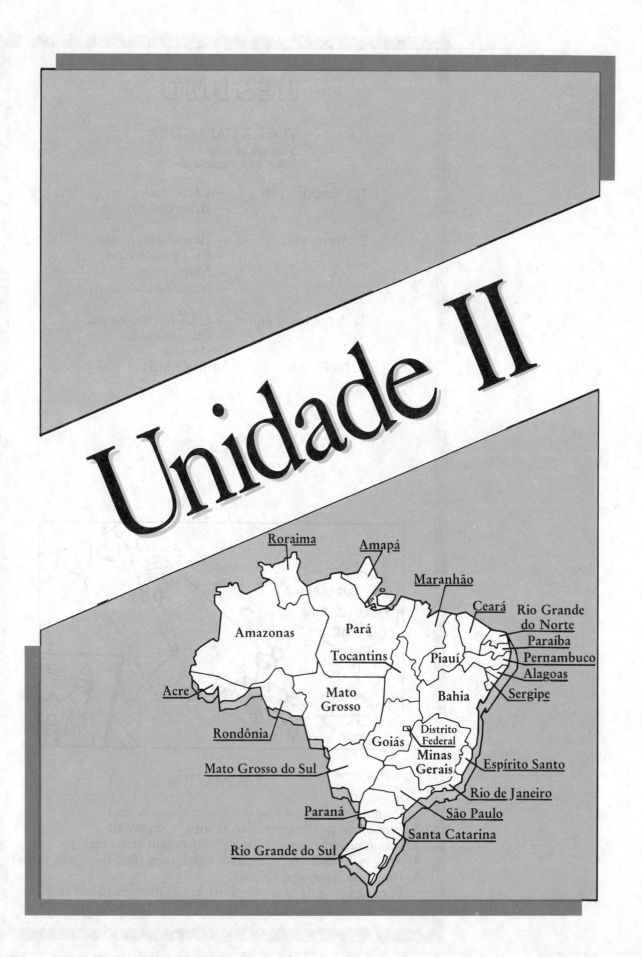

Unidade II

NA SECRETARIA

— Bom dia!
— Bom dia.
— Eu queria falar com o Paulo, por favor.
— Pois não.

— Eu queria telefonar, por favor.
— Pois não.

NA LANCHONETE

Garçom: Pois não?
Pedro: Eu queria uma Coca, por favor.

Garçom: Pois não?
José: Eu queria um misto quente, por favor.
Garçom: Pois não.

NA PADARIA

— Pois não?
— Eu queria um litro de leite, por favor.

— Pois não?
— Eu queria dois cafés, por favor.
— Sim senhor.

NO HOTEL

— Eu queria um apartamento de casal, por favor.
— Pois não.

— Eu queria minha chave, por favor.
— Sim senhor.

Exercício

1. Faça pedidos usando as seguintes sugestões:
   Order using the following suggestions:
   Faites des commandes, en employant les suggestions suivantes:

um guaraná _____

um copo d'água _____

um cafezinho _____

comprar uma geladeira _____

depositar este cheque _____

I) NÚMEROS

1 um (uma)	11 onze	21 vinte e um (vinte e uma)
2 dois (duas)	12 doze	22 vinte e dois (vinte e duas)
3 três	13 treze	30 trinta
4 quatro	14 quatorze	40 quarenta
5 cinco	15 quinze	50 cinqüenta
6 seis	16 dezesseis	60 sessenta
7 sete	17 dezessete	70 setenta
8 oito	18 dezoito	80 oitenta
9 nove	19 dezenove	90 noventa
10 dez	20 vinte	100 cem

101 cento e um (uma)	600 seiscentos (seiscentas)
102 cento e dois (duas)	700 setecentos (setecentas)
200 duzentos (duzentas)	800 oitocentos (oitocentas)
300 trezentos (trezentas)	900 novecentos (novecentas)
400 quatrocentos (quatrocentas)	1.000 mil
500 quinhentos (quinhentas)	1.000.000 um milhão

Exemplos

89 - oitenta e nove
132 - cento e trinta e dois
467 - quatrocentos e sessenta e sete
1.060 - mil e sessenta
1.520 - mil quinhentos e vinte
3.994 - três mil, novecentos e noventa e quatro
2.947.880 - dois milhões, novecentos e quarenta e sete mil,
oitocentos e oitenta

Expansão

Números pares: **2, 4, 6, 8** etc.

Números ímpares: **1, 3, 5, 7** etc.

Exercício

2. Escreva os números:

32 _trinta e dois_

100 _cem_

112 _cento e doze_

530 _quinhentos e trinta_

1075 _mil e setenta e cinco_

1238 _mil duzentos e trinta e oito_

40776 _quarenta mil setecentos e setenta e seis_

8369 _oito mil trezentos e sessenta e nove_

USANDO OS NÚMEROS

Banco	Agência	Conta	Cheque	CR$
000	000	00.0000.0	00.0000.0	:::::::: 400,05

Pague por este cheque a quantia de quatrocentos cruzeiros reais e cinco centavos :::::::::::::::::::::::::::::::

A _____ ou à sua ordem

_____ , de _____ de 19___

BANCO DE DESCONTOS

Romualdo Péricles Lima
CGC 000.000

Banco	Agência	Conta	Cheque	CR$
000	000	00.0000.0	00.0000.0	:::::::: 200,83

Pague por este cheque a quantia de duzentos cruzeiros reais e oitenta e três centavos ::::::::::::::::::

A _____ ou à sua ordem

_____ , de _____ de 19___

BANCO DE DESCONTOS

Romualdo Péricles Lima
CGC 000.000.000/0000/00

Banco	Agência	Conta	Cheque	CR$
000	000	00.0000.0	00.0000.0	:::::::: 960,71

Pague por este cheque a quantia de novecentos e sessenta cruzeiros reais e setenta e um centavos :::::::::::

A _____ ou à sua ordem

_____ , de _____ de 19___

BANCO DE DESCONTOS

Romualdo Péricles Lima
CGC 000.000

Banco	Agência	Conta	Cheque	CR$
000	000	00.0000.0	00.0000.0	:::::::: 1.320,00

Pague por este cheque a quantia de hum mil, trezentos e vinte cruzeiros reais :::::::::::::::::::::::::::

A _____ ou à sua ordem

_____ , de _____ de 19___

BANCO DE DESCONTOS

Romualdo Péricles Lima
CGC 000.000.000/0000/00

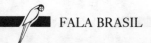

3. Preencha os cheques com os valores abaixo:

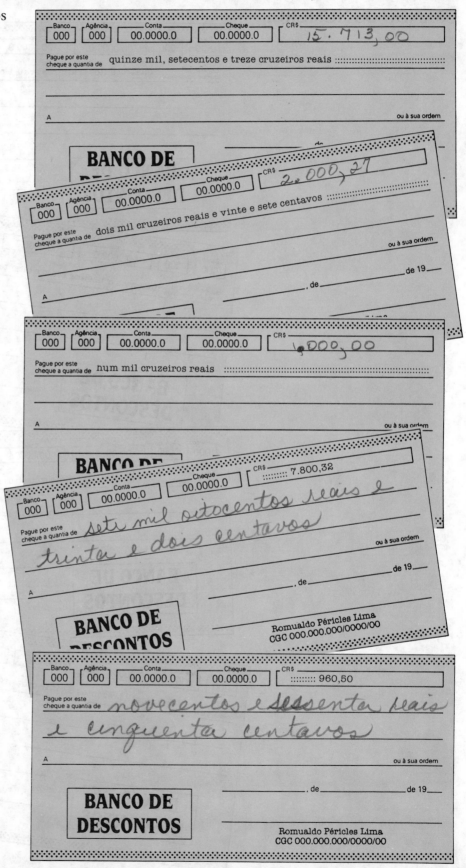

Banco 000 | Agência 000 | Conta 00.0000.0 | Cheque 00.0000.0 | CR$ 15.713,00

Pague por este cheque a quantia de quinze mil, setecentos e treze cruzeiros reais

A .... ou à sua ordem

BANCO DE

Banco 000 | Agência 000 | Conta 00.0000.0 | Cheque 00.0000.0 | CR$ 2.000,27

Pague por este cheque a quantia de dois mil cruzeiros reais e vinte e sete centavos

A .... , de .... de 19____

ou à sua ordem

Banco 000 | Agência 000 | Conta 00.0000.0 | Cheque 00.0000.0 | CR$ 1.000,00

Pague por este cheque a quantia de num mil cruzeiros reais

A .... ou à sua ordem

BANCO DE

Banco 000 | Agência 000 | Conta 00.0000.0 | Cheque 00.0000.0 | CR$ 7.800,32

Pague por este cheque a quantia de sete mil setecentos reais e trinta e dois centavos

A .... , de .... de 19____

ou à sua ordem

BANCO DE DESCONTOS

Romualdo Péricles Lima
CGC 000.000.000/0000/00

Banco 000 | Agência 000 | Conta 00.0000.0 | Cheque 00.0000.0 | CR$ 960,50

Pague por este cheque a quantia de novecentos e sessenta reais e cinquenta centavos

A .... ou à sua ordem

.... , de .... de 19____

BANCO DE DESCONTOS

Romualdo Péricles Lima
CGC 000.000.000/0000/00

Banco	Agência	Conta	Cheque	CR$
000	000	00.0000.0	00.0000.0	:::::::: 1.200,23

Pague por este
cheque a quantia de Hum mil duzentos reais
e vinte e tres centavos

A _____ ou à sua ordem

_____, de _____ de 19__

BANCO DE DESCONTOS

Banco	Agência	Conta	Cheque	CR$
000	000	00.0000.0	00.0000.0	:::::::: 570,00

Pague por este
cheque a quantia de quinhentos e setenta
reais

A _____ ou à sua ordem

_____, de _____ de 19__

BANCO DE ~~TOS~~

Romualdo Péricles Lima
CGC 000.000.000/0000/00

Banco	Agência	Conta	Cheque	CR$
000	000	00.0000.0	00.0000.0	:::::::: 953,00

Pague por este
cheque a quantia de novecentos e cinquenta
e tres reais

A _____ ou à sua ordem

BANCO DE

Banco	Agência	Conta	Cheque	CR$
000	000	00.0000.0	00.0000.0	:::::::: 1.300,00

Pague por este
cheque a quantia de Hum mil trezentos reais

_____ ou à sua ordem

A _____

_____, de _____ de 19__

BANCO DE DESCONTOS

Romualdo Péricles Lima
CGC 000.000.000/0000/00

Banco	Agência	Conta	Cheque	CR$
000	000	00.0000.0	00.0000.0	:::::::: 1.314,03

Pague por este
cheque a quantia de Hum mil trezentos e
quatorze reais e tres centavos

A _____ ou à sua ordem

_____, de _____ de 19__

BANCO DE DESCONTOS

Romualdo Péricles Lima
CGC 000.000.000/0000/00

NA FEIRA

Feirante: Pois não, senhora?
Freguesa: Quanto é a batata?
Feirante: Duzentos cruzeiros reais e vinte centavos o quilo.
Freguesa: Quanto é a cebola?
Feirante: Trezentos e sessenta o quilo.
Freguesa: E a laranja?
Feirante: Trezentos cruzeiros a dúzia. (doz)
Freguesa: Eu queria um quilo de batata. *would like*

Feirante: Um quilo de batata... que mais?
Freguesa: Eu queria um quilo de cebola.
Feirante: Um quilo de cebola... que mais?
Freguesa: Eu queria uma dúzia de laranjas.
Feirante: Uma dúzia de laranjas... Mais alguma coisa?
Freguesa: Só isso. Quanto é?
Feirante: Oitocentos e sessenta cruzeiros reais e vinte centavos

Expansão de Vocabulário

Quanto custa? / Quanto é?
meio quilo = 500 gramas / um quilo e meio
meia dúzia / uma dúzia e meia
um pé de alface / um maço de couve / um cacho de uvas
um quilo de carne

Exercício

4. Faça pedidos e pergunte o preço usando as sugestões:
   Order and ask the price using the suggestions:
   Faites des commandes et demandez - en le prix, en employant les suggestions suivantes:

Exemplo: um pé de alface - Eu queria um pé de alface. Quanto é?

100 gramas de queijo prato _____

200 gramas de presunto _____

150 gramas de salame _____

1/2 (meio) quilo de carne _____

meia dúzia de limão _____

dois maços de couve _____

NO BAR

— Eu queria um café, por favor.
— Pois não. Olhe aqui.
— Obrigado.
— De nada, às ordens.

NA PADARIA

— Eu queria 100 gramas de presunto, por favor. Quanto é?
— Cento e cinqüenta cruzeiros.
— Olhe aqui. Obrigado.
— Às ordens. / Não tem de quê.

NA RUA

— Oi, Maria. Tudo bem?
— Meu nome é Márcia.
— Ah, desculpe!
— Não tem importância.

NA SALA DE AULA

— Com licença...
— Claro! Entre.
— É aqui a sala 10?
— Não. Aqui é a sala 9.
— Ah, desculpe!
— Não tem importância. / Não foi nada.

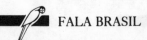

SAINDO DO ÔNIBUS

— (Ai, meu Deus, quanta gente!) Com licença, moço. Por favor minha senhora, com licença. Com licença. Com licença, moça. Com licença, com licença... Obrigado. (Ufa! Finalmente!)

II) VERBOS NO PASSADO

Verbo GASTAR - Pretérito perfeito

Gast - AR	Eu — *gastei*
Gast - EI	Você — *gastou*
Gast - OU	Ele/Ela — *gastou*
Gast - AMOS	Nós — *gastamos*
Gast - ARAM	Vocês — *gastaram*
	Eles/Elas — *gastaram*

Exercícios

5. Agora, conjugue o verbo COMPRAR separando as terminações:
Now, conjugate the verb COMPRAR separating the terminations:
Maintenant, conjuguez le verbe COMPRAR en séparant les terminaisons:

Eu	compr	ei
Você	compr	ou
Ele/Ela	compr	ou
Nós	compr	amos
Vocês	compr	aram
Eles/Elas	compr	aram

6. Agora, conjugue os verbos regulares (-AR) abaixo:
Now, conjugate the regular verbs below:
Maintenant, conjuguez les verbes régulieres ci-dessous:

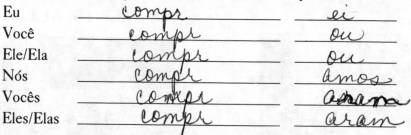

Falar	Estudar	Trabalhar
Perguntar	Gostar	Acordar - wake up
Telefonar	Viajar	Levantar - get up
Entrar	Aceitar - accept	

7. Perguntas e respostas

Exemplos: — Você estudou?
— Estudei.

— José estudou?
— Estudou.

— Dona Maria comprou laranjas?
— Comprou.

— Vocês viajaram?
— Viajamos.

— Eles trabalharam?
— Trabalharam.

— Elas gastaram?
— Gastaram.

Observação: Em português, em geral, responde-se afirmativamente usando-se o verbo.
In portuguese, in general, we answer affirmatively using the verb.
En portugais, en général, on repond affirmativement en utilisant le verbe.

Agora, responda afirmativamente:

— Você gostou?

— _____

— Você entrou?

— _____

— Você falou?

— _____

— Você perguntou?

— _____

— Você telefonou?

— _____

— Você aceitou?

— _____

III) FONÉTICA

Sons do R

1	2	3	4
Rato	Barato	Jogar	Quatro
Rua	Caro	Porta	Braço
Carro	Direita	Perto	Fraco
Genro	Garoto	Norte	Bruto
Correr	Marido	Certo	Fruta

Sons do S

1 /s/ (sê)

Sapatos
Assar
Cansado
Pensar
Assalto
Levantou-se

2 /z/ (zê)

Casa
Peso
Elisa
Atrasado
Rosa
as ondas

Som do LH

Olho
Trabalho
Telha
Alho
Filho

Som do NH

Banho
Banheiro
Vinho
Senhor
Rainha

— Você foi à feira ontem?
— Fui.
— O que você comprou?
— Eu comprei laranja, cebola e batata.
— Só isso?
— Só.
— Quanto custou a batata?
— Duzentos cruzeiros reais e vinte centavos, o quilo.

— Quanto custou a laranja?
— Trezentos cruzeiros, a dúzia.
— Quanto custou a cebola?
— Trezentos e sessenta, o quilo.
— Puxa! Que caro!
— Pois é.
— Quanto você pagou?
— Oitocentos e sessenta cruzeiros reais e vinte centavos.

Sistematização

IV) VERBO IR - Pretérito perfeito (Irregular)

Eu	*fui*
Você	*foi*
Ele/Ela	*foi*
Nós	*fomos*
Vocês	*foram*
Eles/Elas	*foram*

— Dona Maria foi à feira?
— Foi.
— Como?
— De carro.
— Por quê?
— Porque ela não gosta de andar a pé.
— Onde ela deixou o carro?
— Na rua.

— Quem foi à feira?
— Dona Maria.
— Quando?
— Ontem de manhã.
— O que ela comprou?
— Ela comprou laranja.
— Por quê?
— Porque ela gosta de laranja.
— Quantas laranjas ela comprou?
— Duas dúzias.

Sistematização

V) PRONOMES INTERROGATIVOS

Onde...?	Como...?	Por que...?
Quando...?	Quem...?	Quantos(as)...?
O que...?	Quanto...?	

VI) INDICADORES DE TEMPO

Ontem	Hoje	Amanhã
Ontem cedo	Hoje cedo	Amanhã cedo
Ontem de manhã	Hoje de manhã	Amanhã de manhã
Ontem à tarde	Hoje à tarde	Amanhã à tarde
Ontem de tarde	Hoje de tarde	Amanhã de tarde
Ontem à noite	Hoje à noite	Amanhã à noite
Ontem de noite	Hoje de noite	Amanhã de noite
Na semana passada	Nesta semana	Na próxima semana
No mês passado	Neste mês	No próximo mês
No ano passado	Neste ano	No próximo ano
		Na semana que vem
		No mês que vem
		No ano que vem

Depois da feira, dona Maria foi tomar café com suas amigas Carmem e Lúcia.

D. Maria: Quanto é?
O caixa: Três cafés… vinte e quatro cruzeiros.
[Dona Maria dá uma nota de 500 cruzeiros]

O caixa: A senhora não tem trocado?
D. Maria: Não.
Carmem: Pode deixar, Maria. Eu pago os cafés.
[Carmem dá uma nota de 50 cruzeiros]
O caixa: Obrigado. Olhe aqui o troco: 25; 26; 27; 28; 29; 30; 40… 50.

— Na semana passada eu fui ao Rio de Janeiro.
— Como? De carro ou de avião?
— De ônibus. É mais barato.

Expansão de Vocabulário

de carro	de trem
de ônibus	de avião
de táxi	de moto (motocicleta)
de navio	de carona
de bicicleta	a pé
	a cavalo

— Quando você foi ao Rio?
— Quinta-feira passada.

— Você tomou café?
— Tomei.
— Você achou muito forte?
— Achei.

— Paulo telefonou para a mulher dele?
— Telefonou.
— Ela aceitou o convite?
— Aceitou.

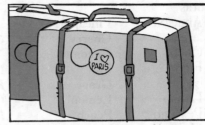

— Eles viajaram para a Europa?
— Viajaram.
— Eles já voltaram?
— Voltaram.

— Vocês compraram um carro novo?
— Compramos.
— Vocês gastaram muito?
— Gastamos.

— A gente adorou o filme, e vocês?
— Nós não gostamos muito.

NOTA: Em português falado A gente = Nós. *Nós adoramos* ou *A gente adorou*.

Exercício

8. Complete:

Acordar

Tomar

Tomar

João_____ , _____ banho e _____ café.
Eu_____ , _____ e _____ .
Maria_____ , _____ e _____ .
Nós_____ , _____ e _____ .
Vocês_____ , _____ e _____ .
Pedro e Mário ____ , _____ e _____ .
Elas_____ , _____ e _____ .
Você e eu _____ , _____ e _____ .
A gente _____ , _____ e _____ .

Frutas

m-Abacaxi	Pineapple	*Ananas*
f-Cereja	Cherry	*Cerise*
m-Coco	Coconut	*Noix de coco*
m-Figo	Fig	*Figue*
f-Uva	Grape	*Raisin*
m-Limão	Lemon	*Citron*
m-Pêssego	Peach	*Pêche*
m-Melão	Honeydew	*Melon*
f-Melancia	Watermelon	*Melon d'eau*
f-Pêra	Pear	*Poire*
m-Morango	Strawberry	*Fraise*
f-Laranja	Orange	*Orange*
m-Mamão	Papaya	*Papaya*
f-Maçã	Apple	*Pomme*
f-Banana	Banana	*Banane*
f-Manga	Mango	*Mangue*

Legumes e Verduras

f-Azeitona	Olive	*Olive*
m-Palmito	Heart of palm	*Coeur de palmier*
f-Abóbora	Squash	*Courge*
f-Abobrinha	Zucchini	*Courgette*
m-Pepino	Cucumber	*Concombre*
m-Repolho	Cabbage	*Chou*
f-Vagem	Green beans	*Haricot vert*
f-Couve	Kale	*Feuille de chou*
f-Couve-flor	Cauliflower	*Chou-fleur*
f-Cenoura	Carrot	*Carotte*
f-Beringela	Eggplant	*Aubergine*
m-Alface	Lettuce	*Laitue*
m-Tomate	Tomato	*Tomate*
f-Ervilha	Peas	*Petits pois*
m-Rabanete	Raddish	*Radis*
m-Espinafre	Spinach	*Épinards*
m-Agrião	Watercress	*Cresson*
m-Salsão	Celery	*Céleri*
m-Cogumelo	Mushroom	*Champignon*
m-Alho poró	Leek	*Poireau*
m-Pimentão verde	Bell pepper	*Piment vert*
m-Pimentão vermelho	Bell pepper	*Piment rouge*

Temperos

m-Alho	Garlic	*Ail*
f-Cebola	Onion	*Oignon*
f-Cebolinha	Green onion	*Ciboulette*
f-Salsa	Parsley	*Persil*
f-Pimenta do Reino	Pepper	*Poivre*
m-Sal	Salt	*Sel*
m-Óleo	Oil	*Huile*
m-Vinagre	Vinegar	*Vinaigre*
m-Azeite	Olive oil	*Huile d'olive*
f-Mostarda	Mustard	*Moutarde*
f-Noz moscada	Nutmeg	*Noix de muscade*

Alimentos Diversos

m-Ovo	Egg	*Oeuf*
m-Arroz	Rice	*Riz*
m-Feijão	Beans	*Haricot*
f-Batata	Potato	*Pomme de terre*
f-Farinha	Flour	*Farine*
m-Fermento	Baking powder	*Levure*
m-Milho	Corn	*Mais*
m-Molho	Sauce	*Sauce*
f-Massa	Pasta	*Pâtes*
m-Café	Coffee	*Café*
m-Leite	Milk	*Lait*
m-Pão	Bread	*Pain*
f-Manteiga	Butter	*Beurre*
m-Açúcar	Sugar	*Sucre*
m-Queijo	Cheese	*Fromage*
m-Chá	Tea	*Thé*
f-Geléia	Jam	*Confiture*
m-Sobremesa	Dessert	*Dessert*

Carnes

f-Carne (de vaca)	Meat	*Viande*
f-Carne moída	Ground beef	*Viande hachée*
f-Carne de porco	Pork	*Porc*
m-Frango	Chicken	*Poulet*
m-Peixe	Fish	*Poisson*
m-Carneiro	Lamb	*Mouton*
f-Lagosta	Lobster	*Langouste*
m-Camarão	Shrimp	*Crevette*
m-Caranguejo	Crab	*Crabe*
f-Ostra	Oyster	*Huître*
m-Mariscos	Clams	*Coquillages*

m-Masculino
f-Feminino

RESUMO

VOCÊ É CAPAZ DE

1. Pedir	Eu queria...
2. Perguntar o preço	Quanto é.../Quanto custa...
3. Perguntar	Como.../Onde.../Quem.../
	Que.../Quando.../Por que.../
	O que.../Quanto.../Quantos.../
	Quantas...
4. Indicar o tempo	Ontem/semana passada...
5. Agradecer	Obrigado(a).
Responder	De nada.
6. Pedir desculpas	Desculpe.
Responder	Não tem importância.
7. Pedir passagem ou interromper	Com licença.

GRAMÁTICA

1. Numerais cardinais (um, dois, três etc.).
2. Pretérito perfeito dos verbos regulares terminados em **AR** (*-ei, -ou, -amos, -aram*).
3. Verbo irregular IR no pretérito perfeito.
4. Pronomes interrogativos (onde, como etc.).
5. Advérbios de tempo (ontem, hoje, à tarde etc.).
6. Fonética (sons do R, S, LH e NH).

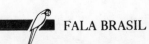

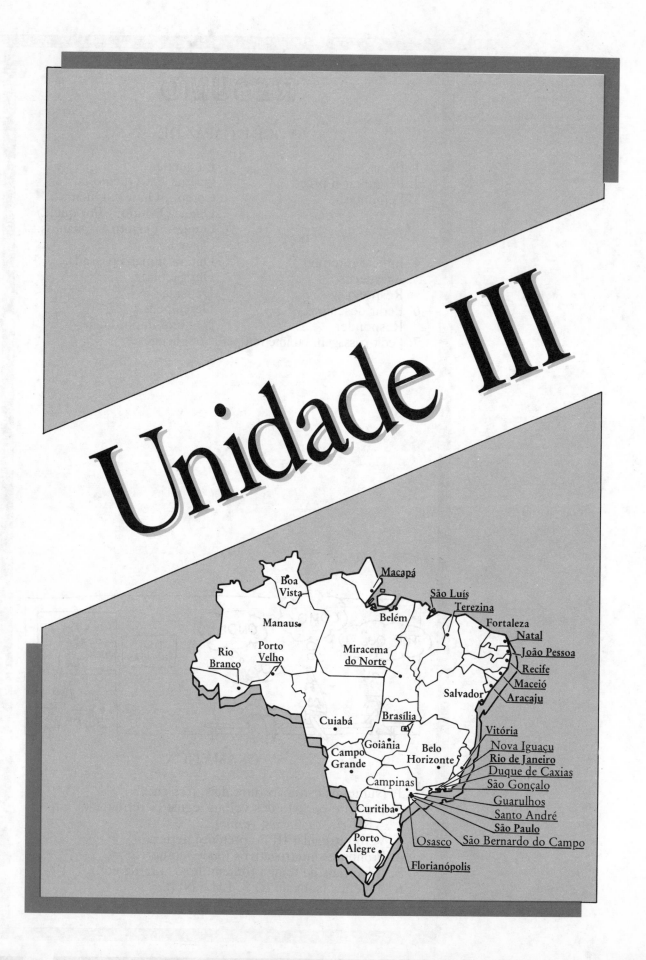

Unidade III

— Você podia fechar a porta, por favor?
— Pois não.

— Paulo, você podia me fazer um favor?
— Claro!

— Seu Marcos, o senhor podia escrever seu endereço?
— Onde?
— Na lousa.

— Moço, você podia me dizer as horas?
— Pois não. São quatro horas.
— Obrigado.
— De nada.

— Por favor, meu senhor. O senhor podia me dizer quanto custa essa televisão?
— Pois não. Um momento...

Exercício

1. Forme frases a partir das sugestões:
Exemplo: abrir a porta (você)
         Você podia abrir a porta, por favor?

escrever seu nome (o senhor) _____

depositar esse cheque (você) _____

chamar um táxi (a senhora) _____

falar mais devagar (você) _____

emprestar sua caneta (o senhor) _____

ir ao correio para mim (você) _____

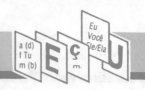

I) Verbos SER e ESTAR

COMPARE

	SER	ESTAR
Eu	*sou*	*estou*
Você	*é*	*está*
Ele/Ela	*é*	*está*
Nós	*somos*	*estamos*
Vocês	*são*	*estão*
Eles/Elas	*são*	*estão*

SER OU ESTAR? EIS A QUESTÃO

SER	ESTAR
ESPAÇO Indica *localização permanente* de prédios, parques, ruas, salas ou qualquer coisa que *não* possa se *mover* fisicamente. **Exemplos:** A sala *é* no fundo do corredor. Onde *é* o Clube de Golfe?	Indica *localização temporária* de pessoas ou objetos. **Exemplos:** Onde *está* o professor? O livro *está* sobre a mesa.
TEMPO *Identifica* o momento: *É* hora do almoço. O jogo *é* hoje. *É* tarde. *É* cedo.	*Indica* o momento: *Está* na hora do almoço. O jogo *está* marcado para hoje. *Está* tarde para sair.
PESSOAS E COISAS *Identifica* alguém ou alguma coisa (tudo que não muda): 1. Identidade: — Quem *é* ela? — Ela *é* minha irmã. 2. Profissão: Pedro *é* professor. 3. Nacionalidade: Eu *sou* brasileiro. 4. *Características* físicas: Maria *é* bonita. Meu carro *é* novo. A sala *é* grande. 5. *Características* psicológicas ou morais: Eles *são* honestos. Nós *somos* felizes.	*Indica o estado de* alguém ou alguma coisa (tudo que pode mudar): 1. *Estados* físicos: Eu *estou* cansado. Ele *está* doente. Maria *está* bonita hoje. O leite *está* estragado. 2. *Estados* psicológicos ou emocionais: Eu *estou* muito triste hoje. Nós *estamos* contentes hoje.

Resumindo: SER é absoluto. ESTAR é relativo.

Frases com **SER** e **ESTAR** → COMPARE

SER
É tarde demais agora.
Maria é professora de português.
Eu sou engenheiro.
Quem é seu professor?
Pedro e João são meus amigos.
Onde é sua sala de aula?
Essa é a classe de inglês.
Onde é a secretaria?
É hora do almoço.
É cedo.
Eu sou brasileiro.
Maria é muito bonita.
Quem são aquelas pessoas que...

ESTAR
Eu estou atrasado.
As crianças estão no jardim.
Pedro está machucado.
Onde está seu professor?
A porta está fechada.
Você está contente?
Os professores estão em reunião.
O livro está aberto.
Está na hora do almoço.
Eu estou muito feliz hoje.
Eu estou sentado.
Maria está muito bonita hoje.
...estão na sala de aula?

PERGUNTAS E RESPOSTAS

— O senhor é aluno de português?
— Sou.
— Ah, está bem.

— Onde vocês estão? Vocês estão no Hotel Real?
— Estamos.

— Vocês são alunos de português?
— Somos.

— Roberto, você é aluno de alemão?
— Sou.

— Pedro e Joana são professores de português?
— São.

— Maria, você está no corredor?
— Estou.

— O restaurante está aberto?
— Está.

— Dona Maria é professora de português?
— É.

— Gisela, você está com fome?
— Estou.

— Os alunos estão na sala 9?
— Estão.

II) ALGUMAS CONTRAÇÕES (preposição + artigo)

Os alunos estão *na* sala 9?

    na(s) = em + a(s)   da(s) = de + a(s)
    no(s) = em + o(s)   do(s) = de + o(s)
    Exemplos:
    — Quem está *na* sala *do* diretor?   — Os documentos são *dos* pais dela?
    — O professor de História *do* Brasil.   — Não. Os documentos são *das* irmãs dela.

— A informação está *nos* jornais de hoje?
— Não, não está. A informação está *na* Veja
da semana passada.

Que dia é hoje? — **What day is today?** — *Aujourd 'hui, c'est quel jour?*
Hoje é segunda-feira. Hoje é dia 23. (23 de novembro de 1989).

Dias da Semana	**Meses do Ano**	
segunda-feira	janeiro	julho
terça-feira	fevereiro	agosto
quarta-feira	março	setembro
quinta-feira	abril	outubro
sexta-feira	maio	novembro
sábado	junho	dezembro
domingo		

Como chamar pessoas que você não conhece:
How to call people that you don't know.
Comment appeler les personnes que vous ne connaissez pas.

Informalmente
— Moço, por favor...
— Moça, por favor...
Exemplo: Por favor, moço. Que horas são?

Formalmente
— Por favor, meu senhor...
— Por favor, minha senhora...

Dizendo as horas

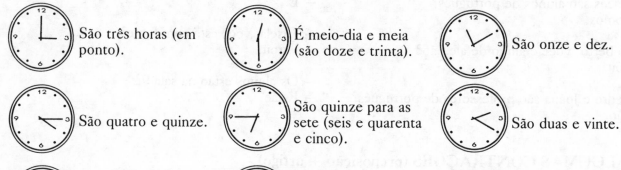

São três horas (em ponto).

É meio-dia e meia (são doze e trinta).

São onze e dez.

São quatro e quinze.

São quinze para as sete (seis e quarenta e cinco).

São duas e vinte.

São duas e meia.

É meio-*dia*. É meia-*noite*.

São sete e vinte e cinco.

São cinco para as quatro (três e cinqüenta e cinco).

É uma hora.

São vinte para as onze (dez e quarenta).

É uma e quinze.

É uma e cinco.

São dez para as dez (nove e cinqüenta).

NOTA: Uma hora da manhã./ Uma hora da tarde ou treze horas.

 Nove horas da manhã./ Nove horas da noite ou vinte e uma horas.

7. Que horas são?

 _____

 _____

 _____

 _____

 _____

 _____

 _____

 _____

_____

_____

_____

_____

Expansão

Relógio   adiantado

Despertador   atrasado

Vocabulário para consulta - *Material de limpeza* - Cleaning materials - *Produits de nettoyage*

m-Sabão em barra	Laundry Soap	*Savon de Marseille*
m-Sabão em pedaço	Bar Soap	*Savon de Marseille*
f-Água sanitária	Bleach	*Eau de Javel*
m-Desinfetante	Desinfectant	*Désinfectant*
m-Sabão em pó	Laundry detergent (powder)	*Lessive*
f-Vassoura	Broom	*Balai*
m-Rodo	Squeegee	*Raclette*
f-Escova	Brush	*Brosse*
m-Balde	Bucket/Pail	*Seau*
m-Pano de chão	Cleaning rag	*Serpillière*
m-Bucha/Esponja	Sponge	*Éponge/un gant de crin*
m-"Bombril"	Steel wool	*Éponge métallique*
m-Álcool	Alcohol	*Alcool à brûler*
m-Flanela/Pano de limpeza	Flannel/Dusting rag	*Torchon*
m-Espanador	Plummer duster	*Plumeau*

III) Cuidado quando escrever:

Verbo FICAR
Fiquei
Ficou
ca, que, qui, co, cu
Cachorro
Queijo
Quilo
Contar
Curar

Verbo PEGAR
Peguei
Pegou
ga, gue, gui, go, gu
Gato
Guerra
Guitarra
Gota
Gula

Atenção:

CE/CI = SE/SI	GE/GI = JE/JI
Aceitar/Semana	Gente/Hoje
Cinto/Silêncio	Girafa/Jipe

IV) Verbos no passado terminados em -ER

Verbo VENDER - pretérito perfeito

Vend - **ER**

Vend - **I**
Vend - **EU**
Vend - **EMOS**
Vend - **ERAM**

Eu	*vendi*
Você	*vendeu*
Ele/Ela	*vendeu*
Nós	*vendemos*
Vocês	*venderam*
Eles/Elas	*venderam*

Exercícios

2. Agora, conjugue o verbo ESCREVER separando as terminações:

Eu _____ _____

Você _____ _____

Ele/Ela _____ _____

Nós _____ _____

Vocês _____ _____

Eles/Elas _____ _____

3. Agora, conjugue os verbos regulares (-ER) abaixo, no pretérito perfeito:

Correr	Acender	Oferecer
Conhecer	Comer	Beber

4. Perguntas e respostas
Exemplos: — Você bebeu?
— Bebi.

— Paulo escreveu seu nome?
— Escreveu.

— Ela acendeu a luz?
— Acendeu.

— Vocês correram?
— Corremos.

— Eles ofereceram um cafezinho?
— Ofereceram.

— Elas conheceram Brasília?
— Conheceram.

Agora, responda afirmativamente:

— Você comeu?
— _____

— Você escreveu?
— _____

— Você ofereceu?
— _____

— Você vendeu?
— _____

— Você bebeu?
— _____

— Você correu?
— _____

— Você conheceu?
— _____

— Por favor, moça.
— Pois não?
— Onde é a secretaria, por favor?
— É ali, à direita.

— Por favor minha senhora.
— Pois não?
— Onde é a sala 10, por favor?
— É aqui mesmo, entre.
— Obrigado.

— Aonde dona Maria foi?
— À feira.

Observação: Ir *a* algum lugar ⟹ Ir *a*... Onde? ⟹ ir *A + ONDE* ⟹ *Aonde* você foi?

Paulo: Renata, onde está a caneta?
Renata: Aqui comigo.

Paulo: Sílvio, onde está a pasta?
Sílvio: Aqui.

Renata: Sílvio, onde está a caneta?
Sílvio: Aí com você.

Paulo: Renata, onde está a pasta?
Renata: Ali com o Sílvio.

Renata: Sílvio, onde está o relatório?
Sílvio: Aí com você.

Paulo: Renata, onde está o relatório?
Renata: Aqui.

Sílvio: Renata, onde está a chave?
Renata: Ali com o Paulo.

Renata: Paulo, onde é o banheiro?
Paulo: Ali.

Sílvio: Renata, onde é o banheiro?
Renata: Ali.

Exercício

5. Distribua vários objetos pela sala e pergunte ao seu colega (ou ao seu professor) onde eles estão. Depois, troque as posições e responda você mesmo às perguntas.

Sistematização

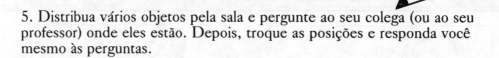

V) Advérbios de lugar

A- Aqui _____ Perto de quem fala.
B- Aí _____ Perto da pessoa com quem falamos.
C- Ali _____ Distante de *A* e *B*.
D- Lá _____ Mais distante do que *Ali*.

Observe a relação:

Pronomes demonstrativos   Advérbios de lugar

Este(s), Esta(s), Isto. —————> Aqui
Esse(s), Essa(s), Isso. ————— Aí

Aquele(s), Aquela(s), Aquilo. ——— Ali, Lá

— *Este* livro *aqui* é seu? (ou *Esse* livro...)
— *Esse aí*? É meu, sim.

— *Aquela* moça é sua irmã?
— Qual?
— *Aquela, lá* na esquina.
— Ah! Não é não.

— Onde eu deposito *este* cheque? (ou *esse* cheque?)
— É *aqui* mesmo.
— Obrigado.

— Por favor, moço. Aquele carro ali é seu?
— Não, o meu é esse aqui.

— Onde você comprou aquelas cadeiras ali?
— No Shopping.
— E essas aqui?
— Essas aí eu comprei de um amigo.

— Eu fui visitar minha irmã... blá blá blá blá blá blá... e daí roubaram meu carro!
— Nossa! Quando aconteceu isso?
— Na semana passada.

— O que é isso no seu prato?
— Abobrinha.
— Você gosta disso?
— Claro!

— Você já pensou naquilo que eu falei?
— Ainda não.

Observação: O que é *isto*? (= esta coisa)
O que é *isso*? (= essa coisa)
O que é *aquilo*? (= aquela coisa)

por outro lado:
— *Esse* livro é seu?
— *Esse*? (Esse *livro*? e não Essa *coisa*?) Não.

6. Complete com pronomes demonstrativos:

_____ livro é meu.

_____ carro lá é do sr. Mário.

O que é _____ na sua blusa?

_____ homem lá na esquina é primo da Fátima.

_____ é meu amigo Fernando.

— _____ flores são lindas!

— É, são sim, mas eu gosto mais (de +) _____

_____ óculos aí são novos?

— Desculpe, estou atrasado...

— É só _____ que você tem para me falar?

Eu já morei (em +) _____ cidade.

_____ moço lá é meu irmão.

Observação: Algumas contrações com pronomes demonstrativos:

de + esse = desse	a + aquilo = àquilo	em + essa = nessa
de + aquilo = daquilo	a + aquele = àquele	em + aquela = naquela

---

Vocabulário para consulta - *Partes da casa* - Parts of the house -
Les pièces d'une moison

DENTRO

f-Sala de jantar	Dining room	*Salle à manger*
f-Sala de estar	Living room	*Salle de séjour*
m-Quarto	Bedroom	*Chambre à coucher*
f-Cozinha	Kitchen	*Cuisine*
f-Copa	Breakfast room	....
m-Banheiro	Bathroom	*Salle de bain*
m-Corredor	Hall/Corridor	*Couloir*
m-Escritório	Office	*Bureau*
m-Porão	Basement	*Cave*

FORA

m-Jardim	Garden	*Jardin*
m-Terraço/f-varanda	Patio/Porch	*Terrasse*
m-Quintal	Back yard	*Cour*
f-Área de serviço	Laundry room	*Partie de service*
f-Garagem	Garage	*Garage*
f-Churrasqueira	Barbecue pit/Grill	*Barbecue*

Exercício

7. Que cor é essa?

— De que cor é a sua roupa?

— _____

— De que cor são seus sapatos?

— _____

— De que cor são as paredes da sua sala de aula?

— _____

— De que cor são as roupas do seu professor?

— _____

Vocabulário para consulta

Branco(a)	White	*Blanc/Blanche*
Preto(a)	Black	*Noir/Noire*
Vermelho(a)	Red	*Rouge*
Azul	Blue	*Bleu/Bleue*
Amarelo(a)	Yellow	*Jaune*
Verde	Green	*Vert/Verte*
Laranja	Orange	*Orange*
Marrom	Brown	*Marron*
Cinza	Grey	*Gris/Grise*
Cor-de-rosa	Pink	*Rose*

VI) Verbos no passado terminados em -IR
Verbo **DIVIDIR** - Pretérito perfeito

COMPARE

Viv - **ER**	Divid - **IR**
Viv - **I**	Divid - **I**
Viv - **EU**	Divid - **IU**
Viv - **EMOS**	Divid - **IMOS**
Viv - **ERAM**	Divid - **IRAM**

Eu	*dividi*
Você	*dividiu*
Ele/Ela	*dividiu*
Nós	*dividimos*
Vocês	*dividiram*
Eles/Elas	*dividiram*

Exercícios

8. Agora, conjugue o verbo ABRIR separando as terminações:

Eu _____

Você _____

Ele/Ela _____

Nós _____

Vocês _____

Eles/Elas _____

9. Agora, conjugue os verbos regulares (-IR), no pretérito perfeito:

Repetir	Decidir	Dormir
Assistir	Insistir	Sair

PERGUNTAS E RESPOSTAS

— Você assistiu ao filme?
— Assisti.

— Sérgio decidiu viajar?
— Decidiu.

— Maria abriu a porta?
— Abriu.

— Vocês saíram logo?
— Saímos.

— Eles insistiram naquilo?
— Insistiram.

— Vocês repetiram os exercícios?
— Repetimos.

VII) Verbo FAZER - Pretérito perfeito (irregular).

Eu	*fiz*
Você	*fez*
Ele/Ela	*fez*
Nós	*fizemos*
Vocês	*fizeram*
Eles/Elas	*fizeram*

PERGUNTAS E RESPOSTAS

— Você fez os exercícios?
— Fiz.
— Ela também fez?
— Fez.

— Vocês fizeram café?
— Fizemos.

— Quem fez isso?
— O Paulo.

— O que elas fizeram ontem?
— Elas fizeram ginástica.

— E você? O que fez hoje?

VIII) FONÉTICA

EM/ẽy/

també<u>m</u>	ningué<u>m</u>
que<u>m</u>	ce<u>m</u>
tre<u>m</u>	be<u>m</u>
v<u>em</u>	parabé<u>ns</u>

OM, ON /õ/

b<u>om</u>	c<u>om</u>	b<u>om</u>b<u>om</u>
s<u>om</u>	v<u>on</u>tade	t<u>om</u>
l<u>om</u>bo	p<u>on</u>to	b<u>on</u>dade
c<u>on</u>tar		

NOTA: CUIDADO ao falar **Com ele** ⟹ **Com** / (pausa) **ele** e não "**Conele**".

Diálogos Dirigidos

— Você foi ao clube ontem?
— Fui.
— Como?
— De carro.

— Você saiu ontem?
— Saí.
— Aonde você foi?
— A um restaurante.

— Você fez aniversário ontem?
— Fiz.
— Parabéns! Quantos anos você fez?
— Eu fiz 25 anos.

— Você comprou o livro que eu pedi?
— Comprei.
— Que bom! Obrigada.
— De nada.

— Você foi à festa de aniversário da Fernanda?
— Fui.
— Você conheceu os pais dela?
— Conheci.

— O Renato visitou a Célia?
— Visitou.
— A Célia ofereceu um cafezinho para ele?
— Ofereceu.

— Você estudou a lição?
— Estudei.
— Você entendeu tudo?
— Entendi.

— Você acordou cedo hoje?
— Acordei.
— Você fez ginástica?
— Fiz.

— Então você bateu o carro?
— Bati!...
— Puxa! Que azar!
— Pois é.

— Você saiu ontem?
— Saí com a Márcia. A gente foi ao cinema.
— O que vocês assistiram?
— A gente assistiu a um filme de bangue-bangue.

— Vocês decidiram viajar?
— Decidimos.
— Para onde?
— Para a Europa.

— O que é isso?
— Um relógio.
— Nossa! Que relógio diferente... E que horas são?
— São cinco horas.
— Já? Esse relógio não está adiantado?

— Onde estão as chaves?
— Não sei. Já procurei, mas não achei.

— Você alugou a casa que você queria?
— Não. Aquela era muito cara. Aluguei uma mais barata.

— Vocês gostaram dessa cidade?
— Gostamos.
— E quando vocês chegaram?
— Ontem.

— O Roberto vendeu o carro dele?
— Vendeu, mas já comprou outro.

— Sua mãe escreveu para você?
— Escreveu.
— Você respondeu?
— Respondi.

— Você já leu esse livro?
— Já, já li.
— Você gostou?
— Gostei.

— Vocês perguntaram o preço?
— Perguntamos.
— Quanto custou?
— NCz$ 500,00.

— A Cássia gostou do bolo?
— Adorou!
— Quantos pedaços ela comeu?
— Três.
— Puxa!

— A moça repetiu o número do telefone?
— Repetiu.
— Você entendeu?
— Entendi.

— Você se levantou cedo hoje?
— Levantei. (Levantei-me)
— Você tomou café com leite?
— Tomei.

— Ana e Paulo trabalharam domingo?
— Trabalharam.
— Eles comeram uma pizza depois?
— Comeram.

— Eles emprestaram o carro para vocês?
— Emprestaram.
— Vocês já devolveram?
— Devolvemos.

Exercícios

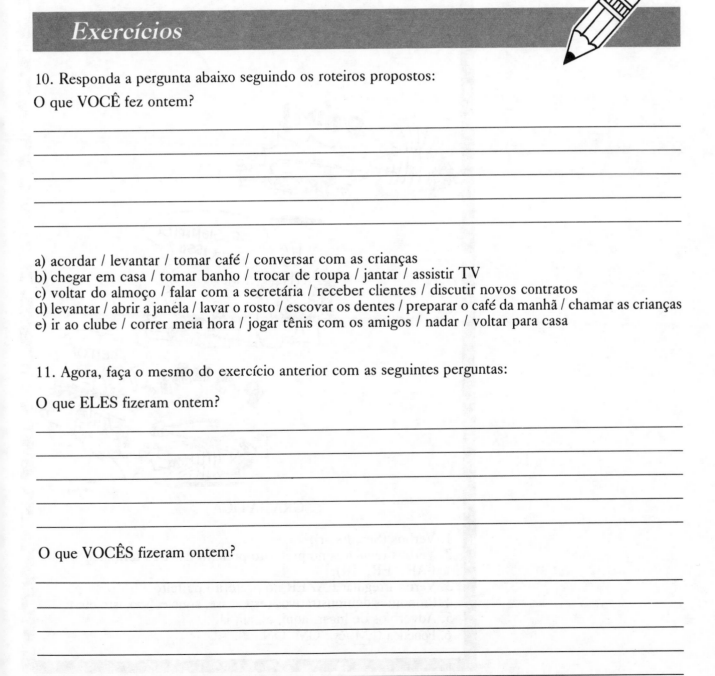

10. Responda a pergunta abaixo seguindo os roteiros propostos:

O que VOCÊ fez ontem?

_____
_____
_____
_____
_____

a) acordar / levantar / tomar café / conversar com as crianças
b) chegar em casa / tomar banho / trocar de roupa / jantar / assistir TV
c) voltar do almoço / falar com a secretária / receber clientes / discutir novos contratos
d) levantar / abrir a janela / lavar o rosto / escovar os dentes / preparar o café da manhã / chamar as crianças
e) ir ao clube / correr meia hora / jogar tênis com os amigos / nadar / voltar para casa

11. Agora, faça o mesmo do exercício anterior com as seguintes perguntas:

O que ELES fizeram ontem?

_____
_____
_____
_____

O que VOCÊS fizeram ontem?

_____
_____
_____
_____

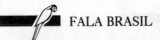

RESUMO

VOCÊ É CAPAZ DE

1. Pedir delicadamente
2. Localizar

3. Indicar o tempo
4. Contar o que fez

Você podia...?
Este, esse,
aquele.
Aqui, ali, aí, lá.
Horas, dias, meses.
Eu fiz...

GRAMÁTICA

1. Verbos (Ser, Estar).
2. Verbos regulares no pretérito perfeito nas três terminações (-AR, -ER, -IR).
3. Verbo irregular FAZER no pretérito perfeito.
4. Pronomes demonstrativos (este, esse, aquele, isso, isto etc.).
5. Advérbios de lugar: aqui, aí, ali, lá.
6. Fonética (EM /ẽy/, OM, ON /õ/).

Unidade IV

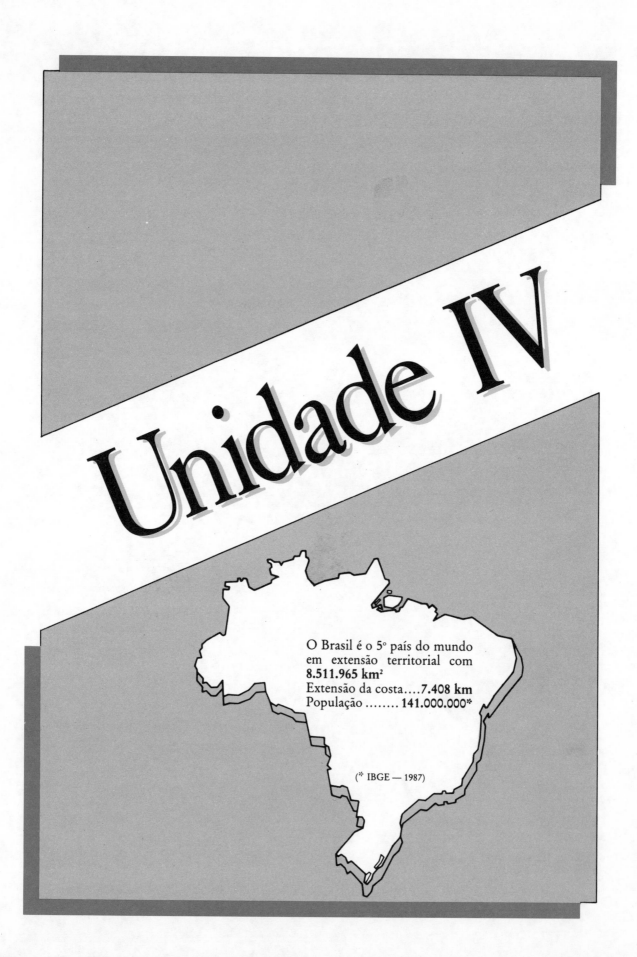

Unidade IV

O Brasil é o 5° país do mundo em extensão territorial com **8.511.965 km²**
Extensão da costa....**7.408 km**
População **141.000.000***

(* IBGE — 1987)

[Triim... Triim]
— Alô?
— De onde falam?
— 282-9354 (dois oito dois, nove três, cinco quatro).
— Desculpe. Foi engano.
— Não tem importância.

[Trim... Trim]
— Alô?
— De onde falam?
— 881-7016 (oito oito um, sete zero, um meia).
— O seu José está?
— Está. Um momento, por favor.

[Trim... Trim]
— Alô?
— De onde falam?
— 554-0071 (cinco cinco quatro, zero zero, sete um).
— O dr. Mauro está?
— Quem gostaria de falar com ele, por favor?
— É do hospital.
— Um minuto, por favor.

[Trim... Trim]
— Colégio Progresso, boa tarde.
— Boa tarde. Eu queria falar com a Marina, por favor.
— Ela não pode atender agora, ela está dando aula. Quer deixar recado?
— Não, obrigado. Eu telefono mais tarde. Até logo.
— Até logo.

[Trim...]
— Pode deixar que eu atendo.
[Trim...]
— Alô?
— Pedro? Aqui é o...
— [Plic]
— Ih! A linha (ligação) caiu.

[Trim... Trim]
— Alô?
— De onde falam?
— 282-9368.
— O Paulo está?
— É ele mesmo.
— Oi, Paulo. Tudo bem? Aqui é o Renato.
— Oi, Renato. Tudo bem?
— Tudo bem. Paulo, eu queria o endereço daquele restaurante... blá blá blá.

NO BAR

— Moço, eu podia usar a lista telefônica, por favor?
— Claro! Olhe aqui.
— Obrigado.

NO ESCRITÓRIO

— D. Beatriz, a senhora já falou com a minha esposa?
— Ainda não. A linha está ocupada.
— Puxa! Como a Odete fala no telefone!

NA RUA

— Por favor, moço. Onde é o orelhão mais próximo?
— É ali naquela esquina.
— Obrigada.

Observação: — Ao falar o número de um telefone: 6 = meia (porque *meia* dúzia = 6).
— *Orelhão:* Telefone público.

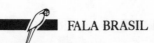

1. Simulando situações:

a) Telefone para seu médico e peça para falar com ele.
b) Telefone para o banco e deixe recado para o gerente ligar para você depois.
c) Telefone para sua agência de viagens e peça informações sobre hotéis no Rio de Janeiro.
d) Alguém telefona para seu filho. Você informa que ele não está e pergunta se a pessoa quer deixar recado. Anote o recado.
e) Telefone para um amigo e convide a família dele para jantar na sua casa.

Sistematização

I) FONÉTICA

Vogal e átona no final de palavra → Som /i/

Pente (Penti)   Inteligente   Nome   Dezenove   Vinte

Vogal o átona no final de palavra → Som /u/

Aluno (Alunu)   Ovo   Quatro   Verbo   Modelo

Consoante l no final de palavra ou anterior a outra consoante → u /w/

Anel / a'nɛw/   Brasil / bra'ziw /   Falta / 'fawta /   Alguém / aw'gẽy /

II) Verbos irregulares - Pretérito perfeito

	VIR	TRAZER	PÔR	DAR
Eu	vim	trouxe	pus	dei
Você	veio	trouxe	pôs	deu
Ele/Ela	veio	trouxe	pôs	deu
Nós	viemos	trouxemos	pusemos	demos
Vocês	vieram	trouxeram	puseram	deram
Eles/Elas	vieram	trouxeram	puseram	deram

PERGUNTAS E RESPOSTAS

— Você veio?   — Você trouxe?   — Eles vieram?
— Vim.   — Trouxe.   — Vieram.

— Paulo veio?   — Maria trouxe?   — Eles deram?
— Veio.   — Trouxe.   — Deram.

— Você pôs?   — Vocês trouxeram?   — Eles trouxeram?
— Pus.   — Trouxemos.   — Trouxeram.

— Ela pôs?   — Vocês puseram?   — Elas puseram?
— Pôs.   — Pusemos.   — Puseram.

— Você deu?   — Vocês deram?   — Vocês vieram?
— Dei.   — Demos.   — Viemos.

— Mário deu?   — Vocês vieram?   — Vocês deram?
— Deu.   — Viemos.   — Demos.

— Maria veio à escola ontem?
— Veio.
— Ela trouxe o livro de português?
— Trouxe.

— Você foi à festa de aniversário do João?
— Fui.
— Você pôs seu vestido novo?
— Pus.

— Oi! Você já chegou?
— Já, já cheguei.
— Puxa! Você veio cedo, hem?
— É, vim. (É verdade, vim.)

— Você deu o livro para Márcia?
— Dei.
— Ela gostou?
— Gostou.

— Você trouxe a pasta?
— Trouxe.
— E onde ela está?
— Em cima da mesa.

Sistematização

III) Verbos pronominais

— Você dormiu até tarde hoje?
— Dormi.
— A que horas você *se* levantou?
— Eu *me* levantei às onze horas.
— Que vida boa, hem?

Observe:

Eu	*me*	*levantei*
Você	*se*	*levantou*
Ele/Ela	*se*	*levantou*
A gente	*se*	*levantou*
Nós	*nos*	*levantamos*
Vocês	*se*	*levantaram*
Eles/Elas	*se*	*levantaram*

Exercício

2. Agora, conjugue os verbos pronominais ao lado

Decidir-se
Vestir-se

Sentar-se
Despedir-se

IV) O uso do artigo

Paulo é *de* São Paulo.
Maria é *de* Paris.
Roberto nasceu *em* Londres.
Sérgio foi *para* Miami.

Joana veio *de* Roma.

Ele nasceu *no* Brasil.
Ele nasceu *na* França.
Ele nasceu *na* Inglaterra

Ele foi *para os* Estados Unidos.
Ela veio *da* Itália.

Você notou? Nome de cidade NÃO aceita artigo. Nome de país: COM artigo.

Observação: CUIDADO... Portugal (país), NÃO aceita artigo. Rio de Janeiro (cidade) aceita. **Exemplo:** Sou *de* Portugal, mas moro *no* Rio.

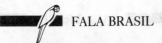

3. Para cada personagem... um lugar:

Mário	nascer	Argentina
José*	vir	São Paulo*
Carmem	viajar	Chicago
Beatriz	ser*	França
Eduardo	ir	México

a) José é de São Paulo.

b) _____

c) _____

d) _____

e) _____

4. Vamos criar? Usando outros personagens e lugares, forme frases com os verbos do exercício 3

V) Terminações do Presente simples (modo indicativo)

-AR	-ER	-IR
-O	-O	-O
-A	-E	-E
-AMOS	-EMOS	-IMOS
-AM	-EM	-EM

	Compr-AR	Vend-ER	Abr-IR
Eu	compro	vendo	abro
Você	compra	vende	abre
Ele/Ela	compra	vende	abre
Nós	compramos	vendemos	abrimos
Vocês	compram	vendem	abrem
Eles/Elas	compram	vendem	abrem

5. Conjugue os verbos regulares no presente simples:

Gastar	Comer	Dividir
Morar	Beber	Assistir
Trabalhar	Escrever	Decidir

COMPARE

	PRESENTE	PASSADO
Eu	Estudo	Estudei
	Escrevo	Escrevi
	Decido	Decidi
Você/	Estuda	Estudou
Ele/Ela	Escreve	Escreveu
	Decide	Decidiu
Nós	Estudamos	Estudamos
	Escrevemos	Escrevemos
	Decidimos	Decidimos
Vocês/	Estudam	Estudaram
Eles/Elas	Escrevem	Escreveram
	Decidem	Decidiram

Você observou a posição da sílaba tônica (mais forte)?

PERGUNTAS E RESPOSTAS

— Você gosta?   — Vocês entram?   — Você escreve?
— Gosto.   — Entramos.   — Escrevo.

— Você empresta?   — Vocês moram?   — Ela observa?
— Empresto.   — Moramos.   — Observa.

— Você corre?   — Ele visita?   — Ele insiste?
— Corro.   — Visita.   — Insiste.

— Você bebe?   — Ela insiste?   — Vocês oferecem?
— Bebo.   — Insiste.   — Oferecemos.

— Você assiste?   — Eles vivem?   — Vocês decidem?
— Assisto.   — Vivem.   — Decidimos.

— Você divide?   — Elas acendem?   — Vocês perguntam?
— Divido.   — Acendem.   — Perguntamos.

— Você parte?   — Eles falam?   — Eles chamam?
— Parto.   — Falam.   — Chamam.

Observação:
Cuidado quando escrever:
Eu ofereço / Você oferece.
ÇA CE CI ÇO ÇU = /S/
Esquecer: Eu esqueço /
Você esquece.
Parecer: Eu pareço / Você parece.

VI) Numerais ordinais

1º primeiro/1ª primeira   8º oitavo (a)
2º segundo/2ª segunda   9º nono (a)
3º terceiro/3ª terceira   10º décimo (a)
4º quarto/4ª quarta   11º décimo(a)-primeiro(a)
5º quinto/5ª quinta   12º décimo(a)-segundo(a)
6º sexto/6ª sexta   13º décimo(a)-terceiro(a)
7º sétimo/7ª sétima   20º vigésimo(a)

Abril Imagens / Luigi Mamprin

Antes de ler os diálogos consulte o vocabulário na página seguinte.

— Moça, por favor. Onde é o Banco do Brasil?
— O senhor segue em frente por essa rua. No segundo sinal, o senhor vira à direita, o Banco do Brasil é no segundo quarteirão.
— Obrigado.
— Às ordens.

— Por favor, meu senhor...
— Pois não?
— Onde é o Correio, por favor?
— É pertinho daqui. Você vira naquela esquina ali à esquerda, é no fim da quadra.

— Por favor, moço. Onde é o Hotel Vila Rica?
— É bem longe daqui... O senhor segue em frente nessa avenida até o terceiro semáforo.

Então, o senhor vira à direita, e depois a primeira à esquerda. Lá o senhor pergunta de novo porque é um pouco complicado.
— Então, no terceiro sinal à direita, depois a primeira à esquerda... É isso?
— Isso mesmo.

— Onde é a farmácia mais próxima?
— É ali, ao lado da catedral.
— Obrigado. Até logo.
— Até logo.

— Por favor, onde é o restaurante Coma Bem?
— Olhe atrás de você!
— Nossa! Que cabeça a minha! Obrigado!
— De nada. Bom apetite.

Quadra   Quarteirão   Rua

À direita   perto

À esquerda   longe

Em frente

Ao lado

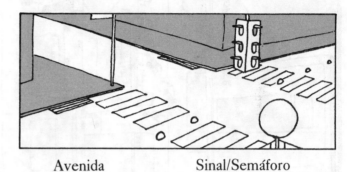

Avenida   Sinal/Semáforo

Expansão

Uma rua *paralela* à outra

Uma rua *perpendicular* à outra

Exercício

6. Use o mapa, da próxima página, para responder às seguintes questões:

a) Moço, onde é o Cine Rex, por favor?
b) Onde é o Supermercado Carrefour, por favor?
c) Por favor, moço. Onde é o Bar do Zé?
d) Por favor, minha senhora, onde é a Padaria Massa Pura?

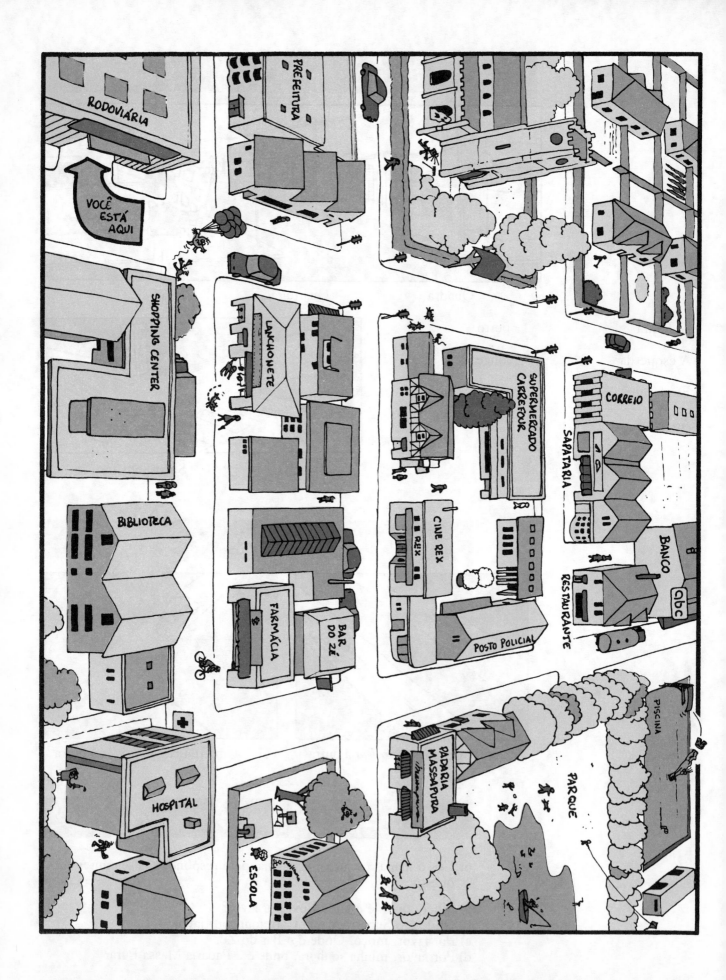

VII) FONÉTICA

DE - DI		(DA DE *DI* DO DU)			
Dedo	Dançar	Dúvida	Dia	Medir	Vende(di)

TE - TI		(TA TE *TI* TO TU)			
Toalha	Teto	Tarde	Tia	Mentir	Dente(ti)

Sons do X

CH	S	Z	QÇ
Xarope	Expresso	Exato	Fixo
Baixo	Auxílio	Exame	Sexo
Caixa	Máximo	Exemplo	Nexo

VIII) CONCORDÂNCIA

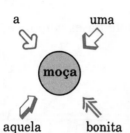

Exercícios

7. Complete usando seu vocabulário:

Exemplo: SAPATO   A: os   P: seus   Adj: pretos   N: dois

A - Artigo   P - Pronome   Adj - Adjetivo   N - Numeral

a) CARRO   A:_____ P:_____ Adj:_____ N:_____

b) CASA   A:_____ P:_____ Adj:_____ N:_____

c) CANETA   A:_____ P:_____ Adj:_____ N:_____

d) PROFESSOR   A:_____ P:_____ Adj:_____ N:_____

e) CHAVES   A:_____ P:_____ Adj:_____ N:_____

f) RELÓGIO   A:_____ P:_____ Adj:_____ N:_____

g) CADERNOS   A:_____ P:_____ Adj:_____ N:_____

h) PROFESSORA   A:_____ P:_____ Adj:_____ N:_____

i) MALAS   A:_____ P:_____ Adj:_____ N:_____

8. Observe as frases seguintes e monte frases semelhantes usando o vocabulário do Exercício 7:

Meu filho é brasileiro.   Este relógio está atrasado.
Os documentos estão errados.   Aquelas duas canetas amarelas são minhas.

a) _____

b) _____

c) _____

d) _____

e) _____

f) _____

g) _____

h) _____

i) _____

9. Monte frases com o vocabulário abaixo: **Exemplo:** O meu *apartamento* é *novo*.

Apartamento*	Grande
Camisas	Jovens
Diretores	Novo*
Porta	Caro
Amiga	Aberta
Hotel	Brasileira
Equipamentos	Fechada
Secretárias	Velhas
Janela	Modernos
Restaurante	Brancas

IX) Algumas regras para formação de *plural* dos nomes e adjetivos: [Para Consulta]

A REGRA GERAL você já observou.
Acrescenta-se S ao singular:
Exemplos: a casa - as casas pequeno - pequenos
         o pai - os pais   grande - grandes

Palavras terminadas em M fazem o plural em NS:
o homem - os homens   o álbum - os álbuns

Palavras terminadas em R e Z fazem o plural em ES:
a mulher - as mulheres   feliz - felizes
a raiz - raízes   melhor - melhores

Palavras terminadas em S com a última sílaba
tônica (mais forte), acrescenta-se ES:
o país - os países   chinês - chineses
o freguês - os fregueses português - portugueses
o mês - os meses   inglês - ingleses

Palavras terminadas em S com a última sílaba
átona (não tônica), não mudam no plural:
o lápis - os lápis   simples - simples

Palavras terminadas em AL, EL, OL e UL
mudam L em IS:
o animal - os animais   cruel - cruéis
o hotel - os hotéis   espanhol - espanhóis
o lençol - os lençóis   azul - azuis

Palavras terminadas em IL *tônico* mudam L em S:
o funil - os funis   gentil - gentis

Palavras terminadas em IL *átono* mudam IL para EIS:
o réptil - os répteis   fácil - fáceis

Palavras terminadas em ÃO fazem o plural em ÃOS,
ÃES, ÕES:
a mão - as mãos   o irmão - os irmãos
o pão - os pães   o alemão - os alemães
o botão - os botões   a lição - as lições

NOTA: Algumas palavras são mais usadas *no plural*:
as férias   os óculos   os pêsames
as finanças   os arredores

10. Leia com atenção as duas colunas e depois tente dar as respostas cobrindo a segunda coluna:

1ª coluna: singular	**2ª coluna: plural**
A mesa é pequena.	As mesas são pequenas.
O menino é bonito.	Os meninos são bonitos.
O papel está sobre a mesa.	Os papéis estão sobre a mesa.
Esse jornal é de hoje.	Esses jornais são de hoje.
Aquele hotel está fechado.	Aqueles hotéis estão fechados.
O animal é fiel.	Os animais são fiéis.
O móvel é moderno.	Os móveis são modernos.
O brasileiro é amável.	Os brasileiros são amáveis.
Esse exercício é fácil.	Esses exercícios são fáceis.
Ele é hábil.	Eles são hábeis.
Meu professor é alto.	Meus professores são altos.
A flor é bonita.	As flores são bonitas.
Essa aula é particular.	Essas aulas são particulares.
O rapaz está aqui.	Os rapazes estão aqui.
O juiz está feliz.	Os juízes estão felizes.
É o último mês.	São os últimos meses.
Ele é inglês.	Eles são ingleses.
Esse país é pequeno.	Esses países são pequenos.
Ele é gentil.	Eles são gentis.
O pires é branco.	Os pires são brancos.
O lápis é preto.	Os lápis são pretos.
O ônibus está ali.	Os ônibus estão ali.
O pão está gostoso.	Os pães estão gostosos.
Meu irmão é alegre.	Meus irmãos são alegres.

11. Vamos inverter? Agora, cobrindo a 1ª coluna, dê o singular das frases acima.

MÚSICA

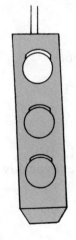

Sinal fechado
Paulinho da Viola
Canta: Chico Buarque e Maria Bethânia

— Olá, como vai?
— Eu vou indo, e você tudo bem?
— Tudo bem, eu vou indo correndo pegar meu lugar no futuro. E você?
— Tudo bem, eu vou indo em busca de um sonho tranqüilo, quem sabe?
— Quanto tempo...
— Pois é, quanto tempo...
— Me perdoe a pressa. É a alma de nossos negócios...
— Qual, não tem de quê. Eu também só ando a cem.
— Quando é que você telefona? Precisamos nos ver por aí.
— Pra semana prometo talvez nos

vejamos, quem sabe...
— Quanto tempo!
— Pois é, quanto tempo...
— Tanta coisa que eu tinha a dizer, mas eu sumi na poeira das ruas.
— Eu também tenho algo a dizer, mas me foge à lembrança...
— Por favor, telefone, eu preciso beber alguma coisa rapidamente...
— Pra semana...
— O sinal...
— Eu procuro você...
— Vai abrir... vai abrir...
— Eu prometo não esqueço, não esqueço...
— Por favor não esqueça, não esqueça...
— Adeus... Adeus...
— Adeus...

RESUMO

VOCÊ É CAPAZ DE

1. Falar no telefone
   — Alô?
   — De onde falam?

2. Pedir e dar informações na rua
   — Onde é...?
   — Ali, perto, à direita, à esquerda etc.

GRAMÁTICA

1. Verbos irregulares no passado (vir, trazer, dar, pôr).
2. Verbos pronominais (levantar-se, divertir-se).
3. Uso do artigo.
4. Números ordinais (primeiro, segundo etc.).
5. Concordância nominal.
6. Regras para a formação do plural.
7. Presente simples dos verbos regulares (-AR, -ER, -IR).
8. Fonética (E e O finais átonos, D e T, L como semivogal /w/ e sons do X).

MÚSICA

Sinal fechado

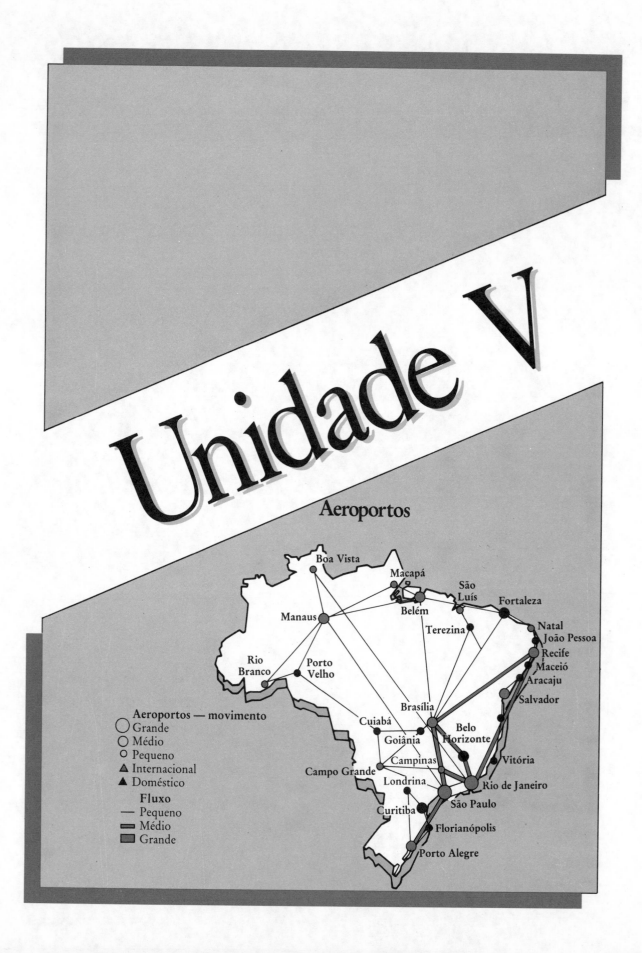

Unidade V

Aeroportos

Aeroportos — movimento
○ Grande
○ Médio
○ Pequeno
▲ Internacional
▲ Doméstico

Fluxo
— Pequeno
━ Médio
▬ Grande

Boa Vista
Macapá
São Luís
Fortaleza
Manaus
Belém
Terezina
Natal
João Pessoa
Recife
Maceió
Aracaju
Salvador
Rio Branco
Porto Velho
Brasília
Cuiabá
Belo Horizonte
Goiânia
Vitória
Campinas
Campo Grande
Rio de Janeiro
Londrina
São Paulo
Curitiba
Florianópolis
Porto Alegre

— Bom dia.
— Bom dia. Eu gostaria de fazer uma reserva para Manaus. A que horas tem vôo na sexta-feira?
— Um momento. Vou verificar... Para Manaus, na sexta-feira, nós temos dois vôos: um às 18 horas pela Varig e outro às 21 horas pela Vasp.
— Bem, eu prefiro o vôo das 18 horas.
— Quantas pessoas?
— Quatro.
— Deixa eu ver se ainda tem lugar... Ih, moço. Só tem dois lugares. Não pode ser no vôo das 21 horas?
— Tudo bem. Não tem problema.
— Ótimo. Eu preciso do nome das quatro pessoas.

— Pois não.
— O senhor já fez reserva de hotel?
— Ainda não. Nós gostaríamos de ficar no Hotel Tropical. Será que é muito caro?
— A diária de casal custa CR$ 4.500,00 com café da manhã.
— É caro, mas pode fazer a reserva.

Vocabulário

Reserva	Diária
Hotel	Horário
Passagem aérea	Vôo

NOTA: Deixa eu ver ⇒ forma coloquial de *deixe-me ver*.

Brasília - Ministérios

1. Vamos viajar? Faça uma reserva de vôo e hotel para: Brasília, Porto Alegre e Salvador.

Porto Alegre - Centro Administrativo

Salvador

Sistematização

I) Verbo IR - Presente do indicativo (irregular)

Eu	*vou*
Você	*vai*
Ele/Ela	*vai*
Nós	*vamos*
Vocês	*vão*
Eles/Elas	*vão*

PERGUNTAS E RESPOSTAS

— Você vai ao clube todos os dias?
— Vou.

— D. Maria vai à feira uma vez por semana?
— Vai.

— Vocês sempre vão à praia?
— Vamos, sim. Nós adoramos praia.

NOTA: IR A + o clube = Ir *ao* clube / Vou *ao* clube.
IR A + a feira = Ir *à* feira / Vou *à* feira.
Então: *à* = a (preposição) + a (artigo)

II) Futuro formado com o verbo IR → Verbo IR no presente + Infinitivo

OBSERVE

Amanhã eu vou nadar.
Amanhã eu vou passear.
Amanhã eu vou comprar...
Na semana que vem eu vou para a praia.
No ano que vem José vai morar em Paris.

Esse é o *Futuro* com o verbo IR que usamos na linguagem falada. Não é fácil?

Verbo IR no presente + Infinitivo do verbo principal.

Diálogos Dirigidos

— O que você vai fazer no fim de semana?
— Eu vou visitar um amigo em São Paulo, e você?
— Eu não vou viajar. Vou ficar em casa.

— Você acha que vai chover?
— Não sei não... Eu acho que vai fazer sol.
— Tomara, porque eu vou para a praia.

— Vocês vão almoçar fora?
— Vamos. Você quer ir com a gente?
— Não, obrigado. Eu vou esperar o Pedro.

— Eles vão mesmo alugar o apartamento?
— Vão sim. Eles vão assinar o contrato hoje à tarde.

— Pedro, você vai viajar com a gente?
— Vou.
— Ótimo. Vai ser uma viagem maravilhosa.

NOTA: Nessa formação de futuro, quando o verbo IR é o verbo principal, elimina-se o infinitivo. **Exemplo:** Amanhã eu *vou* ao cinema. O mesmo acontece com o verbo VIR. **Exemplo:** Amanhã eu *venho* à escola.

2. Agora, pratique os diálogos dirigidos em duplas.

3. Responda a essas questões usando o futuro:

— O que você vai fazer depois da aula? _____

_____

— O que você vai fazer à noite? _____

_____

— O que você vai fazer amanhã de manhã? _____

_____

— O que você vai fazer no fim de semana? _____

_____

Sistematização

III) Antes/Depois

antes (de, do, da)   depois (de, do, da)

— Você vai ao banco?
— Agora não. Só *depois do almoço*.

— Eu sempre verifico a conta *antes de pagar*.
— E *depois de pagar* é bom verificar o troco.

— Eu gosto de tomar um uísque *antes do jantar*. E você?
— Eu sempre bebo um licor *depois do jantar*.

Resumindo: Depois *de* / Antes *de* + Verbo
Depois *do, da* / Antes *do, da* + Nome

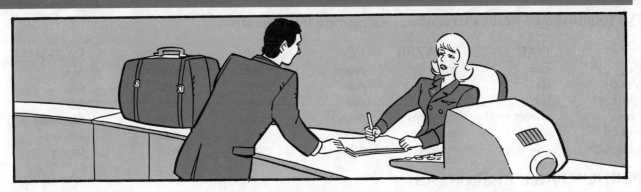

No Balcão da Vasp

— Olhe aqui as passagens e as malas.
— Fumante ou não fumante?
— Não fumante.
— Aqui estão as fichas de embarque. Aguarde a chamada, por gentileza.
    [Alguns minutos depois]
— Atenção senhores passageiros da Vasp, vôo 642 para Manaus. Por favor, dirijam-se ao portão 10 para embarque e boa viagem.

Chegando em Manaus

— Puxa! Que demora! Estou morrendo de calor. Vamos embora gente.
— Não podemos. A mala da Marta ainda não chegou.
— Vamos verificar no balcão da Vasp.
    [Alguns minutos depois]
— Puxa! Que azar hem? Perder a mala no primeiro dia de viagem.

No Hotel

— Boa noite. Pois não?
— Boa noite. Nós temos reserva de dois apartamentos.
— O senhor podia me dar os nomes, por favor?
— Aqui estão.
— O senhor podia preencher essas fichas, por favor?
— Claro. Moço, a Vasp vai telefonar amanhã de manhã, para nos informar sobre uma mala extraviada. O senhor pode nos acordar, está bem?
— Pois não. Aqui estão as chaves dos quartos. Boa noite.

Exercícios

4. Responda as questões abaixo seguindo os mesmos Roteiros propostos no Exercício 10 da *Unidade III:*

a) O que VOCÊ faz de manhã? _____

_____

b) O que ELE faz à tarde? _____

_____

c) O que ELA faz depois do almoço? _____

_____

d) O que VOCÊS fazem sábado de manhã? _____

_____

e) O que ELES fazem domingo? _____

_____

5. Agora, troque as pessoas de cada pergunta para praticar mais:

Exemplo: a) O que ELA faz de manhã?

IV) Expansão de verbos irregulares - Presente do indicativo

	DAR	TRAZER	PÔR	VIR	TER	FAZER
Eu	*dou*	*trago*	*ponho*	*venho*	*tenho*	*faço*
Você	*dá*	*traz*	*põe*	*vem*	*tem*	*faz*
Ele/Ela	*dá*	*traz*	*põe*	*vem*	*tem*	*faz*
Nós	*damos*	*trazemos*	*pomos*	*vimos*	*temos*	*fazemos*
Vocês	*dão*	*trazem*	*põem*	*vêm*	*têm*	*fazem*
Eles/Elas	*dão*	*trazem*	*põem*	*vêm*	*têm*	*fazem*

PERGUNTAS E RESPOSTAS

— Você tem?	— Ele dá?	— Eles trazem?	— Você vem?	— Pedro tem?	— Vocês põem?
— Tenho.	— Dá.	— Trazem.	— Venho.	— Tem.	— Pomos.
— Você traz?	— Ela põe?	— Eles têm?	— Você faz?	— Ele traz?	— Vocês vêm?
— Trago.	— Põe.	— Têm.	— Faço.	— Traz.	— A gente vem.
— Você põe?	— Maria faz?	— Vocês fazem?	— Você dá?	— O João vem?	— Vocês dão?
— Ponho.	— Faz.	— Fazemos.	— Dou.	— Vem.	— Damos.

V) NÚMEROS

o dobro (**Ex.:** *O dobro* de dois é quatro.)
o triplo (**Ex.:** *O triplo* de dois é seis.)

Observe as expressões de freqüência: uma vez (por) (**Ex.:** Vou ao clube *uma vez por* semana.), duas vezes, três vezes etc.

A seguir estão alguns números fracionários: 1/2
(a) metade (meio)
1/3 - um terço (a terça parte)
1/4 - um quarto (a quarta parte)
1/5 - um quinto (a quinta parte)

0,5 - meio
2,5 Km - dois quilômetros e meio
11:20 h. - onze horas e vinte minutos
1,5 Kg - um quilo e meio ou um quilo e quinhentos gramas
18 laranjas - uma dúzia e meia de laranjas

Atenção: Veja no Apêndice os sistemas de pesos e medidas usados no Brasil.

Exercício

6. Leia em voz alta:
a) Dr. Teixeira tem 1/3 das ações da empresa.
b) Eu morei um mês e meio num hotel.
c) D. Maria comprou uma dúzia e meia de laranjas.
d) Eu ganho o dobro do que ele ganha.
e) Eu começo a trabalhar às 7:30h.
f) Ele correu 2,5 Km esta manhã.

VI) FONÉTICA
Compare os sons

Ã	Õ
Cantar	Contar
Anjo	Onda
Lã	Lombo
Tampa	Ponto

— Você trouxe o seu guarda-chuva?
— Trouxe.
— Você traz o seu guarda-chuva todo dia?
— Não. Eu só trago quando o tempo não está bom.

— Ela fez ginástica hoje de manhã?
— Fez.
— Nossa! Outra vez?
— Pois é, ela faz ginástica cinco vezes por semana.

— Vocês são franceses?
— Não, nós somos belgas.
— Faz tempo que vocês estão no Brasil?
— Faz um ano que nós chegamos.

— Paulo, onde você pôs a minha caneta?
— Eu pus em cima da sua mesa.
— Mas não está lá...
— Você procurou bem?

— Você veio de táxi?
— Não, eu vim de ônibus.
— Por quê?
— Porque é mais barato.

— Você deu um presente de aniversário para o João?
— Dei.
— Ele gostou?
— Acho que gostou.

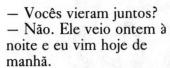

— Vocês vieram juntos?
— Não. Ele veio ontem à noite e eu vim hoje de manhã.

— Moço, tem café?
— Não tem, não. Acabou.

— Carlos! Márcia! Tudo bem?
— Oi! Tudo bem, e você, Pedro?
— Tudo bem. Que surpresa, hem? Vocês vêm sempre aqui?

— Vocês foram à conferência ontem?
— Fomos. E você?
— Não. Eu fiquei em casa.

— Você fez o relatório?
— Fiz.
— Que bom! Você sempre faz os relatórios antes do dia 30?
— Faço.

— D. Maria, a senhora sempre põe alho no feijão?
— Ponho. Por quê? Você não gosta?

— Você dá carona para ele todos os dias?
— Dou, ele mora perto da minha casa.

— "Cadê" o Rui?
— Está na sala do diretor.

Observação: "Cadê" é uma forma coloquial de "Onde está...?"

— Você vai muito a São Paulo?
— Vou duas vezes por semana, no mínimo.
— Que cansativo!
— É, mas eu já estou acostumado.

— Você já fez os exercícios?
— Ainda não. Só mais um minutinho!
— E então? Acabou?
— Quase. Ainda falta um... Pronto!
— Ufa! Até que enfim! (Finalmente!)

PERGUNTANDO A IDADE

— Osmar, quantos anos você tem?
— Eu tenho 25 anos. E você?
— Eu tenho 28.

— Roseli, qual é a idade de sua irmã?
— Ela tem 19, mas vai fazer 20 na semana que vem.

— Quando você faz aniversário?
— Dia 10 de outubro.
— Nossa! Está perto! Preciso comprar seu presente.

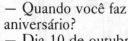

Exercício

7. Pratique os Diálogos Dirigidos em duplas.

Paulo: Boa tarde. Nós queremos uma mesa para quatro.
Garçom: Pois não. Aqui está bem?
Paulo: Está, obrigado.
Garçom: Olhe aqui o cardápio.
Marta: Nossa! Quantos pratos diferentes! Nem sei o que escolher.
Sérgio: Eu acho que vou experimentar esse peixe... Parece bom.

Elisa: Eu estou sem fome... Vou querer só uma salada.
Paulo: Gente, que tal experimentar um prato típico da região?
Todos: É, boa idéia!
Marta: Vamos pedir também uma porção de batatas fritas e outra de farofa.
Sérgio: Garçom, por favor.

Vocabulário para consulta - *Mesa e cozinha* - Table and kitchen - *La table et la cuisine*

MESA

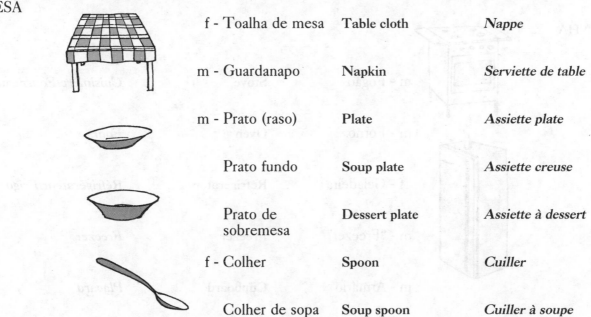

	f - Toalha de mesa	Table cloth	*Nappe*
	m - Guardanapo	Napkin	*Serviette de table*
	m - Prato (raso)	Plate	*Assiette plate*
	Prato fundo	Soup plate	*Assiette creuse*
	Prato de sobremesa	Dessert plate	*Assiette à dessert*
	f - Colher	Spoon	*Cuiller*
	Colher de sopa	Soup spoon	*Cuiller à soupe*

Colher de sobremesa	Dessert spoon	*Cuiller à dessert*
Colher de chá	Tea spoon	*Cuiller à thé*
Colher de café	Coffee spoon	*Cuiller à café*
f - Faca	Knife	*Couteau*
m - Garfo	Fork	*Fourchette*
m - Copo	Glass	*Verre*
f - Taça	Goblet	*Coupe*
f - Jarra de água	Jug	*Pot à eau*
f - Xícara de chá	Tea cup	*Tasse à thé*
Xícara de café	Coffee cup	*Tasse à café*
m - Pires	Saucer	*Soucoupe*

COZINHA

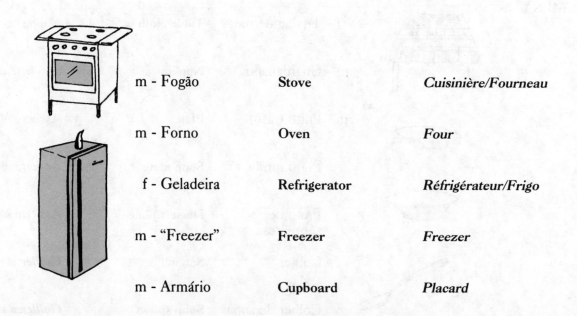

m - Fogão	Stove	*Cuisinière/Fourneau*
m - Forno	Oven	*Four*
f - Geladeira	Refrigerator	*Réfrigérateur/Frigo*
m - "Freezer"	Freezer	*Freezer*
m - Armário	Cupboard	*Placard*

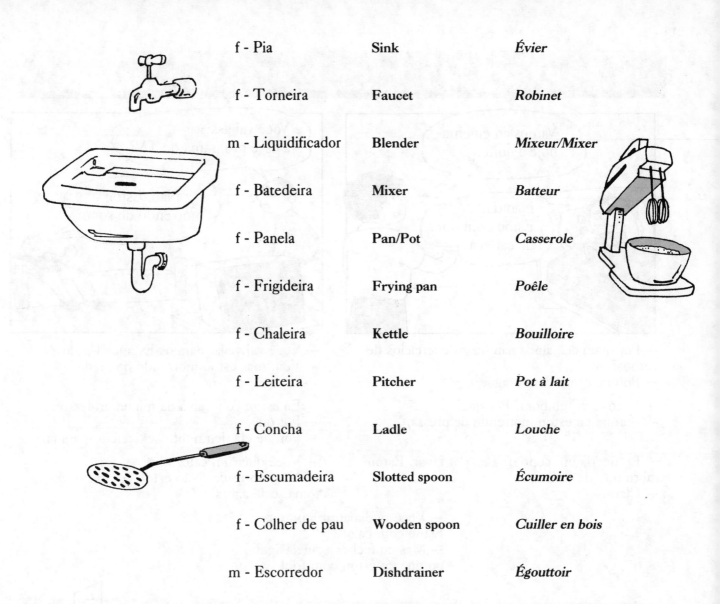

f - Pia	Sink	*Évier*
f - Torneira	Faucet	*Robinet*
m - Liquidificador	Blender	*Mixeur/Mixer*
f - Batedeira	Mixer	*Batteur*
f - Panela	Pan/Pot	*Casserole*
f - Frigideira	Frying pan	*Poêle*
f - Chaleira	Kettle	*Bouilloire*
f - Leiteira	Pitcher	*Pot à lait*
f - Concha	Ladle	*Louche*
f - Escumadeira	Slotted spoon	*Écumoire*
f - Colher de pau	Wooden spoon	*Cuiller en bois*
m - Escorredor	Dishdrainer	*Égouttoir*

Sistematização

VII) Expressão ESTAR COM.

Eu estou com frio.	Eu estou com dor de cabeça.
Eu estou com calor.	Eu estou com enxaqueca.
Eu estou com sono.	Eu estou com dor de estômago.
Eu estou com medo.	Eu estou com dor de dente.
Eu estou com pressa.	Eu estou com dor de ouvido.
Eu estou com fome.	Eu estou com sede.
Eu estou com raiva.	Eu estou com preguiça.
Eu estou com vontade de...	

Observação: Estou com muita fome. / Estou *morrendo de* fome.
Estou com muito sono. / Estou *morrendo de* sono.

— Por que você ainda não fez os exercícios de verbos?
— Porque estou com preguiça.

— Você já vai embora? Por quê?
— Porque eu estou morrendo de pressa.

— Eu queria um copo d'água, por favor. Estou morrendo de sede.
— Claro.

— Você vai viajar para os Estados Unidos?
— Vou, mas estou morrendo de medo.

— Eu estou com raiva da minha professora.
— Por quê?
— Porque ela deu muitos exercícios para fazer...

— Você quer um cafezinho?
— Não, obrigado. Não estou com vontade de tomar café agora.

— Você podia abrir a porta? Estou com calor...
— Mas eu fechei a janela agora, porque eu estou com frio!

Sistematização

Agora, compare

ESTAR COM	TER
— Vou viajar amanhã. Estou com medo de tomar o avião.	— Você tem medo de viajar de avião?
— Vou beber um copo d'água. Estou com sede.	— Tenho muita sede quando faz calor.
— Hoje à noite eu não vou sair. Estou com vontade de assistir a um filme na televisão.	— Quando chego do trabalho, eu nunca tenho vontade de sair.
— Não façam barulho, crianças. Papai está com dor de cabeça.	— Ele tem dor de cabeça todos os dias. Coitado!
— Vamos almoçar? Estou morrendo de fome!	— Eu tenho fome antes de me deitar. Sempre preciso comer alguma coisa.
— Você está com preguiça de fazer os exercícios?	— Você sempre tem preguiça de fazer exercícios?
— Você está com frio? Quer um cafezinho?	— Geralmente, eu tenho muito frio quando me levanto, de manhã.
— Você podia chamar um táxi para mim? Estou com muita pressa.	— Ele faz tudo muito devagar. Ele não tem pressa.
— Estou com muito sono! Vou me deitar. Boa noite.	— Quando eu tomo cerveja no almoço, eu sempre tenho sono depois.

ESTAR COM	Frio	TER
	Calor	
	Fome	
	Sede	
	Sono	
	Medo	
	Dor de cabeça	
	Dor de estômago	
	Dor de barriga	
	Pressa	
	Vontade	
	Raiva	

↓ | | ↓

É transitório, mutável, provisório. É um *estado*. | | É permanente, habitual, contínuo. É uma maneira de ser; uma *característica*.

VIII) CONCORDÂNCIA NOMINAL: Gênero dos nomes - masculino e feminino

As palavras que designam o sexo masculino (o homem, o genro) e as palavras terminadas em *o* átono (o livro, o banco) são MASCULINAS.

As palavras que designam o sexo feminino (a mulher, a nora) e as palavras terminadas por *a* átono (a caneta, a mesa) são FEMININAS.

Cuidado com as exceções: o dia, o clima, o cometa, o mapa, o problema, o planeta etc.

A FORMAÇÃO DO FEMININO A PARTIR DO MASCULINO

Às vezes é bem fácil: o filh*o* - *a* filh*a*
o freguê*s* - *a* fregue*sa*
o professo*r* - *a* professo*ra*

mas às vezes é difícil, como os terminados em
-*ão* (-*ã*, -*oa*, -*ona*)

o irm*ão* - a irm*ã*	o campe*ão* - a campe*ã*
o le*ão* - a le*oa*	o patr*ão* - a patr*oa*
o comil*ão* - a comil*ona*	o solteir*ão* - a solteir*ona*

Outros sofrem alguma modificação no radical como:
o rei - a rainha
o ator - a atriz
o barão - a baronesa

E outros, ainda, têm radicais completamente diferentes:
o homem - a mulher
o genro - a nora
o boi - a vaca

Para encerrar, temos alguns que aceitam os dois gêneros e assim fica bem mais fácil:
o artista - a artista
o cliente - a cliente
o gerente - a gerente

Exercício

8. Leia atentamente as duas colunas ao lado. Depois, cobrindo a coluna da direita, tente dar o feminino das frases acima (atenção também aos adjetivos):

Ele é francês.	Ela é francesa.
O professor é magro.	A professora é magra.
O patrão é exigente.	A patroa é exigente.
O comilão é gordo.	A comilona é gorda.
O boi é manso.	A vaca é mansa.
O ator está sentado.	A atriz está sentada.
O noivo está nervoso.	A noiva está nervosa.
O pianista é famoso.	A pianista é famosa.
O freguês está na loja.	A freguesa está na loja.
O jornalista é inteligente.	A jornalista é inteligente.

O cantor é ruim.	A cantora é ruim.
O jovem está feliz.	A jovem está feliz.
O pai é baixo.	A mãe é baixa.
O gerente está lá.	A gerente está lá.
O filho é loiro.	A filha é loira.
O homem está em pé.	A mulher está em pé.
O artista está no quarto.	A artista está no quarto.
Ele é moreno.	Ela é morena.
O solteirão é rico.	A solteirona é rica.
O campeão é forte.	A campeã é forte.

NOTA: Os nomes terminados em *-ão* podem ser masculinos ou femininos:

a) Os concretos são masculinos

o coração   o irmão   o feijão

Cuidado: <u>a mão</u>

b) Os abstratos são femininos

a educação   a produção   a opinião

Cuidado: o perdão

RESUMO

VOCÊ É CAPAZ DE
1. Fazer reservas
2. Fazer pedidos

No aeroporto
No hotel
No restaurante

GRAMÁTICA

1. Verbo IR no presente.
2. Formação do futuro com o verbo IR.
3. Verbos irregulares no presente (dar, trazer, pôr, vir, fazer e ter).
4. Números fracionários e multiplicativos.
5. Uso de <u>antes</u> e <u>depois</u>.
6. Concordância nominal - formação do feminino.
7. Fonética (Ã e Õ).

EXPRESSÕES

Será que...
Estar com...
Deixa eu ver.
Cadê? (Onde está?)
Não dá (Não é possível)
Até que enfim (Finalmente)
Estou morrendo de... (fome)

Unidade VI

Principais Rios Brasileiros

Situação 1 - Fazendo compras

NA LOJA

Vendedor: Pois não?
Cliente: Eu estou precisando de um fogão. Gostaria de ver alguns.
Vendedor: Sim, senhora. Temos vários modelos.
Cliente: Quanto custa esse azul?
Vendedor: Esse aqui?
Cliente: É.
Vendedor: À vista custa CR$ 25.000,00
Cliente: Puxa, que caro!
Vendedor: Estamos fazendo uma promoção em três prestações sem entrada...

— Posso ajudar?
— Obrigada. Estou só olhando.

— Pois não? Posso ajudar em alguma coisa?
— Bom dia. A senhora tem algum livro sobre a Amazônia?
— Temos alguns, mas esse aqui é o melhor. As fotografias são incríveis.
— É. É lindo mesmo. Vou ficar com ele. A senhora podia embrulhar para presente?

— Eu gostaria de experimentar essa calça, por favor.
— Pois não. A cabine (o provador) é logo ali.
       [Alguns minutos depois...]
— Moça, tem um número maior? Essa ficou um pouco curta.
— Um momento. Vou buscar... Tem sim, mas é de outra cor.
— Tudo bem.

Vocabulário para consulta - Móveis - Furniture - *Meubles*

SALA

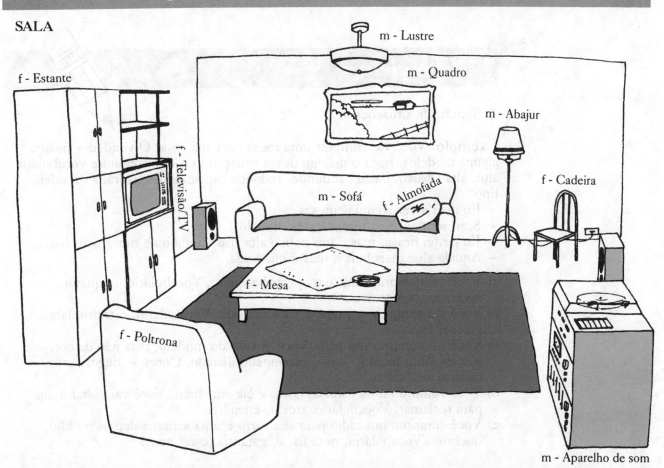

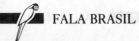

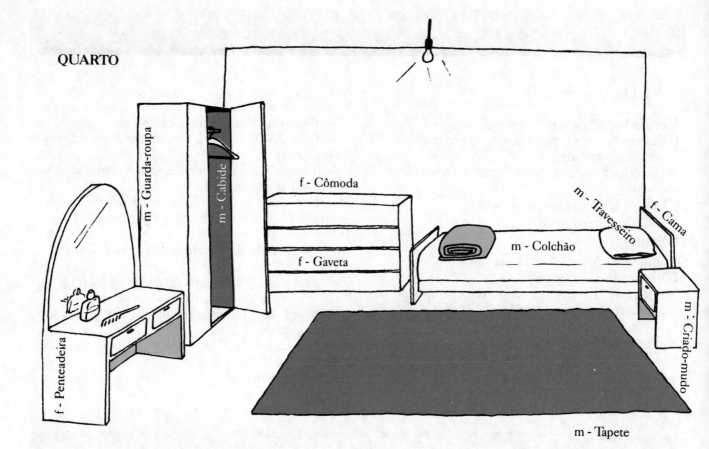

f - Cômoda
m - Guarda-roupa
m - Cabide
f - Gaveta
m - Travesseiro
f - Cama
m - Colchão
m - Criado-mudo
f - Penteadeira
m - Tapete

Exercício

1. Simulando situações

Exemplo: Você vai comprar uma mesa para sua casa. O vendedor mostra alguns modelos. Faça o diálogo dessa situação usando o seguinte vocabulário: alto, alta / baixo, baixa / redondo, redonda / quadrado, quadrada / modelo, tipo.
— Eu queria ver algumas mesas.
— Sim, senhor. Nós temos esses modelos.
— Eu gostei dessa, mas é um pouco alta. Eu queria uma mesa mais baixa.
— Aquela ali é mais baixa, mas é quadrada.

a) Você vai comprar tênis para jogar basquete. Vocabulário: pequeno, apertado, confortável.
b) Você vai comprar um tapete para sua sala. Vocabulário: estreito, largo, grosso, fino.
c) Você vai comprar um sofá. Você gostou do modelo, mas não da cor. Vocabulário: tecido — liso, estampado, listado. Cores — bege, verde-escuro, azul-claro.
d) Você comprou uma camisa, lavou e ela encolheu. Você vai voltar à loja para reclamar. Vocabulário: trocar, encolher.
e) Você comprou um rádio para seu carro e uma semana depois o rádio quebrou. Vocabulário: nota fiscal, garantia (estar na...)

I) Presente contínuo

V.erbo TOMAR

Eu	estou	toma*ndo*
Você	está	toma*ndo*
Ele/Ela	está	toma*ndo*
Nós	estamos	toma*ndo*
Vocês	estão	toma*ndo*
Eles/Elas	estão	toma*ndo*

Observe que o verbo ESTAR é conjugado no Presente do Indicativo.
O Presente contínuo é formado com o verbo principal no Gerúndio. Fácil, não?

Verbo ESTAR no presente + Gerúndio

-ANDO (Verbos com terminação *-ar*.)
-ENDO (Verbos com terminação *-er*.)
-INDO (Verbos com terminação *-ir*.)

Exercícios

2. Conjugue os verbos BEBER e SAIR no presente contínuo.

3. Observe a ilustração abaixo e responda o que cada pessoa está fazendo.

f - Camisa	Shirt	*Chemise*
f - Calça	Trousers	*Pantalon*
f - Meia	Sock	*Chaussette*
f - Cueca	Briefs / Underwear	*Slip / Caleçon*
m - Vestido	Dress	*Robe*
f - Blusa	Blouse	*Corsage / Blouse*
f - Saia	Skirt	*Jupe*
f - Meia	Panty / Hose	*Bas*
f - Calcinha	Panties	*Culotte*
f - Bermuda	Bermuda	
m - "Short"	Shorts	*Short*
m - Calção (de banho)	Swim suit	*Maillot de bain*
m - Maiô	Bathing suit	*Maillot de bain*
m - Biquíni	Bikini	*Bikini*
f - Camiseta	T-shirt	*T-shirt*
m - Terno	Suit	*Costume*
m - Colete	Vest	*Gillet*
m - Paletó	Suit jacket	*Veste / Veston*

f - Gravata	Tie	*Cravate*
m - Casaco	Sweater	*Paletot / Pull*
f - Jaqueta	Jacket	*Jaquette*
f - Capa	Coat	*Imperméable*
m - Sapato	Shoes	*Chaussure*
f - Bota	Boots	*Bottes*
f - Sandália	Sandals	*Sandales*
m - Chinelo	Slippers	*Pantoufle / Chausson*
m - Tênis	Tennis shoes /Sneakers	*Tennis*
m - Cinto	Belt	*Ceinture*
m - Chapéu	Hat	*Chapeau*
m - Boné	Bonnet / Cap	*Bonnet / Béret*
m - Guarda-chuva	Umbrella	*Parapluie*
m - Relógio	Watch / Wrist Watch	*Montre*
f - Pulseira	Bracelet	*Bracelet*
m - Colar	Necklace	*Collier*
m - Anel	Ring	*Bague*
f - Aliança	Wedding ring	*Alliance*
m - Brinco(s)	Earings	*Boucles d'oreille*

4. O que essas pessoas estão usando? Consulte o vocabulário acima.

— Alô?
— De onde falam?
— 531-4628.
— O Celso está aí?
— Está, mas não pode atender. Ele está tomando banho.
— E o Sérgio?
— O Sérgio está jogando bola na rua.

— E a Rosana?
— Ela está dormindo...
— Puxa! Então eu ligo mais tarde.

— Você está entendendo alguma coisa?
— Não. Não estou entendendo nada.
— E por quê?
— Porque ela está falando muito depressa.

> **NOTA:** Comparando estruturas
> **ESTAR + GERUNDIO**
> (-*ando*, -*endo*, -*indo*) = Être en train de ... ou = Présent simple

MÚSICA
Samba de uma nota só
Tom Jobim e Newton Mendonça　　　*Canta: Tom Jobim*

Eis aqui este sambinha
Feito de uma nota só
Outras notas vão entrar
Mas a base é uma só
Esta outra é conseqüência
Do que acabo de dizer
Como eu sou a conseqüência
Inevitável de você
Quanta gente existe por aí
Que fala tanto e não diz *nada*
Ou quase *nada*
Já me utilizei de toda a escala
E no final não sobrou *nada*
Não deu em *nada*!
E voltei pra minha nota
Como eu volto pra você
Vou contar com a minha nota
Como eu gosto de você
E quem quer todas as notas
Ré mi fá sol lá si dó
Fica sempre sem *nenhuma*
Fica numa nota só

II) PRONOMES INDEFINIDOS

Algum / Alguns + Nome   Nenhum + Nome
Alguma / Algumas + Nome   Nenhuma + Nome
Tudo. (= Todas as coisas)   Nada. (= Nenhuma coisa)
Alguém. (= Alguma pessoa)   Ninguém. (= Nenhuma pessoa)

Diálogos Dirigidos

— Você tem algum plano para o fim de semana?
— Não. Nenhum (plano).

— Você tem alguma idéia?
— Nenhuma (idéia).

— O Pedrinho comeu tudo?
— O Pedrinho comeu tudo, mas o Joãozinho não comeu nada.

— Alguém telefonou para mim?
— Não. Ninguém.

— Eu vi algumas casas interessantes.
— E eu vi alguns apartamentos.

— Você conhece algum dentista bom e barateiro?
— Aqui não conheço nenhum. Eu conheço um em São Paulo.

— Alguém sabe o telefone do Pedro?
— Eu sei, mas não adianta telefonar. Não tem ninguém lá agora.

— Você comprou alguma coisa para o jantar?
— Ih!... Esqueci. Não comprei nada.

— Você já fez tudo que eu pedi?
— Ah, desculpe. Não fiz quase nada.

— Ele não recebeu nenhuma carta essa semana.
— Que estranho! Será que aconteceu alguma coisa?

Exercício

15. Complete com pronomes indefinidos:

Quem apagou a luz? Não estou vendo _____.

Não é preciso repetir. Já entendi _____.

Eu tenho _____ idéias para resolver esse problema.

Você sabe se aqui na Companhia _____ fala japonês?

Você tem _____ livro interessante para eu ler?

Ai, meu Deus! Que dor de cabeça! Será que ainda vai ter _____ reunião hoje à tarde?

Naquela empresa _____ diretor fala inglês, só português.

Vai ter _____ festa nesse fim de semana?

Patrícia esperou _____ meses para receber o visto de permanência no Brasil.

— Atchim!
— Saúde! Que gripe, hem? Você tomou _____ remédio?
— É, tomei, mas não resolveu _____ . [Atchim!!]

NOTA: — Você comprou *alguma coisa*?
           — Não comprei *coisa alguma*. = Não comprei *nada*.

III) Revendo verbos

Quais as terminações dos verbos regulares no passado perfeito?

-AR	-ER	-IR
-ei	-i	-i
-ou	-eu	-iu
-amos	-emos	-imos
-aram	-eram	-iram

Estão bem fixadas? Então, vamos aos irregulares.

IV) Expansão de verbos irregulares

	QUERER	PODER	SABER	DIZER	VER
Presente					
Eu	*Quero*	*Posso*	*Sei*	*Digo*	*Vejo*
Você	*Quer*	*Pode*	*Sabe*	*Diz*	*Vê*
Ele/Ela	*Quer*	*Pode*	*Sabe*	*Diz*	*Vê*
Nós	*Queremos*	*Podemos*	*Sabemos*	*Dizemos*	*Vemos*
Vocês	*Querem*	*Podem*	*Sabem*	*Dizem*	*Vêem*
Eles/Elas	*Querem*	*Podem*	*Sabem*	*Dizem*	*Vêem*
Passado					
Eu	*Quis*	*Pude*	*Soube*	*Disse*	*Vi*
Você	*Quis*	*Pôde*	*Soube*	*Disse*	*Viu*
Ele/Ela	*Quis*	*Pôde*	*Soube*	*Disse*	*Viu*
Nós	*Quisemos*	*Pudemos*	*Soubemos*	*Dissemos*	*Vimos*
Vocês	*Quiseram*	*Puderam*	*Souberam*	*Disseram*	*Viram*
Eles/Elas	*Quiseram*	*Puderam*	*Souberam*	*Disseram*	*Viram*

PERGUNTAS E RESPOSTAS

— Você quer? — Você quis? — Ele quer? — Vocês sabem?
— Quero. — Quis. — Quer — Sabemos.

— Você pode? — Você pôde? — Ela soube? — Vocês quiseram?
— Posso. — Pude. — Soube. — Quisemos.

— Você sabe? — Você soube? — Eles viram? — Vocês viram?
— Sei. — Soube. — Viram. — Vimos.

— Você diz? — Você disse? — Elas dizem? — Ele viu?
— Digo. — Disse. — Dizem. — Viu.

— Você vê? — Você viu? — Ela disse? — Elas disseram?
— Vejo. — Vi. — Disse. — Disseram.

16. Observe as frases formadas com os verbos SER e ESTAR:

Anel ———————————— de hoje
Professor ————————— de ouro
Jornais ———————————— importante
Opinião ———————————— dando aula

Aquele anel é de ouro.
Esses jornais são de hoje?
Sua opinião é importante.
O professor está dando aula.

Exercite a partir das sugestões:

Pães	discutindo
Lições	dramática
Problema	quentes
Ônibus	fáceis
Irmãos	internacional
Atriz	difícil
Telefonema	necessária
Educação	autoritário
Menino	com sede
Gerente	chegando

DICA: Observe que o sufixo -*EMA* é formador de NOMES masculinos: *o* telefon*ema*, *o* probl*ema*, *o* sist*ema*, *o* dil*ema*, *o* teor*ema*.

Diálogos Dirigidos

— Você sabe o endereço do dr. Ferreira?
— Sei.
— Qual é?
— Rua XV de Novembro, 762.

— Você quer um suco?
— Quero. Está muito calor.
— Com açúcar ou sem açúcar?
— Sem açúcar. Estou de regime.

— Você vê o Paulo todos os dias?
— Não. Eu vejo o Paulo só nos fins de semana.

— O que ele disse para a sua amiga?
— Ele disse que está preocupado com a situação do país.

— Por que ele não quis viajar com você?
— Porque ele não pôde. Ele ficou doente.
— Que pena!

— Você viu aquele filme no canal 7?
— Não vi... Ontem eu fui jantar fora.

— Você pode me fazer um favor?
— Posso, claro.

— Seus filhos sabem nadar?
— Sabem.
— Quando eles aprenderam?
— Ah, não sei. Já faz tanto tempo...

— Vocês disseram a verdade?
— Dissemos, mas eles não acreditaram.

— Normalmente, nas reuniões, você diz o que pensa?
— Às vezes eu digo. E você?
— Eu também só digo o que penso de vez em quando.

— Vocês viram as notícias ontem na televisão?
— Não, não vimos. O que aconteceu?
— O dólar subiu 20% (vinte por cento).

— Você traz seu livro todos os dias?
— Trago.
— E hoje, você trouxe?
— Trouxe, claro!

— Nós queremos falar com o dr. Sérgio. Ele está?
— Está. Um momento, por favor.

— Maria, onde você pôs os meus óculos?
— Eu pus dentro da minha bolsa.

— Você sabe fazer café?
— Sei. Eu faço um café delicioso.

— Você dá aula no colégio Progresso?
— Dou. Eu sou professora de português.

— Vocês sempre vêm aqui?
— Eu venho sempre, mas a Maria vem só de vez em quando.

— Ele é seu amigo?
— É. Nós somos vizinhos.

ABRINDO CONTA

— Pois não?
— Eu queria abrir uma conta...
— Eu preciso de seus documentos.
— Olhe aqui.
— O senhor precisa preencher e assinar estas fichas.
— Está bem. .... Pronto. E agora?
— Agora é só fazer o depósito e aguardar o talão de cheques.
— Quanto tempo vai demorar?
— Uma semana mais ou menos.
— Tudo isso!?!
— É, mas o senhor pode fazer cheque avulso durante este tempo.
— Ah, bom. Obrigado.
— De nada. Até logo.
— Até logo.

FAZENDO UM DEPÓSITO PELA PRIMEIRA VEZ

— Eu queria depositar esse cheque.
— Pois não. O senhor precisa preencher essa ficha de depósito.
— E agora?
— Pode depositar em qualquer caixa.
— Obrigado.
— De nada.

B D	Recibo de depósito	
Para crédito de		
Ag. pref.	Conta nº	NCz$
AUTENTICAÇÃO MECÂNICA		

BANCO DE DESCONTOS			Ficha de depósito
Para crédito de			CHEQUES
			Banco / Nº / NCz$
Ag. pref.	Conta nº	NCz$	
AUTENTICAÇÃO MECÂNICA			Total

VERIFICANDO SALDO

— Por favor, eu queria ver o meu saldo.
— Qual é o número da sua conta, por favor?
— 067 458/4.
— Um momentinho. .... Olhe aqui.
— Nossa! Só isso? Estou quase sem fundos... Eu estou esperando uma ordem de pagamento de São Paulo. Você podia verificar o que aconteceu?

DESCONTANDO UM CHEQUE PELA PRIMEIRA VEZ

— Onde é que eu posso descontar esse cheque?
— Em qualquer caixa.

Observação:
Onde eu posso...? = Onde *é que* eu posso...?

PAGANDO CONTAS

— Como é que eu faço para pagar essa conta de luz?
— No caixa da esquerda.
— Posso pagar com cheque?

PEDINDO EXTRATO

— Eu não recebi o extrato de março. Você podia ver o que aconteceu?
— Não é comigo. É naquela fila.
— Ah! Você está brincando... Olhe o tamanho da fila!
    [...meia hora depois...]
— (Puxa! Que débito (D) grande! Ah, é a conta do telefone. Preciso falar com minha mulher...)

TROCANDO DÓLAR

— Quanto está o dólar?
— No oficial ou no paralelo (negro)?
— No paralelo.
— No paralelo acho que subiu. Se não me engano está a 98,00 para cheque e cento e três e pouco para papel moeda.

NO CAMBISTA

— É aqui que se troca dólar?
— É.
— Eu queria trocar 300 dólares.
— Em dinheiro?
— É. Quanto está?
— Está a CR$ 105,00

Sistematização

V) Verbo PRECISAR

Precisar + Verbo
Eu preciso *sair*.
Ele precisa *comprar óculos*.

Precisar *de* + Nome
Eu preciso *de dinheiro*.
Ele precisa *de óculos*.

Exercício

7. Complete com o verbo PRECISAR:

Eles _____ falar com você.

Eu _____ tranqüilidade para escrever meu livro.

Minha mãe _____ telefonar para o dentista.

A empregada _____ ovos para fazer um bolo.

Você _____ parar de fumar.

João e Patrícia estão num supermercado.
— João, vamos comprar cerveja?
— Não, está cara demais! Lá no supermercado perto de casa a cerveja está mais barata (do) que aqui.

Celso e Joaquim estão saindo de uma longa reunião.
— Finalmente essa reunião acabou!
— É. Esse novo diretor fala mais (do) que um papagaio.

Sistematização

VI) COMPARATIVOS

Comparativos de Superioridade

A) Ele *viaja mais (do) que* o irmão dele.
Vocês *vão pagar mais (do) que* eu.
Ela *come mais (do) que* todo mundo.
Mário *dorme mais (do) que* todo mundo.
Nesse ano eles *estão trabalhando mais (do) que* no ano passado.

> VERBO + MAIS QUE (ou MAIS *DO* QUE)

B) Ela é *mais inteligente (do) que* o irmão dela.
Paulo é *mais inteligente (do) que* eu.
A França é *mais desenvolvida (do) que* a Bolívia.
Esse restaurante é *mais caro (do) que* aquele.
Minha casa é *mais bonita (do) que* a (casa) dele.

> MAIS + ADJETIVO + (DO) QUE

C) Paulo anda *mais depressa (do) que* Ana.
Ela mora *mais longe (do) que* eu.
Meu trabalho é *mais perto de casa (do) que* o seu.

> MAIS + ADVÉRBIO + (DO) QUE

D) Ele tomou *mais cerveja (do) que* eu.
Mário comprou *mais cartões postais (do) que* eu.
Ele está tirando *mais fotografias (do) que* eu.
José e Paulo vão ter *mais problemas (do) que* nós.
Minhas colegas fazem *mais perguntas (do) que* eu.

> MAIS + NOME + (DO) QUE

Comparativos de Inferioridade

Milton e Otávio se encontram no elevador:
— Oi, Otávio. E aí, comprou aquele Opala?
— Não. Eu decidi comprar um Fusca. Gasta menos gasolina (do) que o Opala.

> A) VERBO + MENOS (DO) QUE
> B) VERBO + MENOS + ADJETIVO + (DO) QUE
> C) VERBO + MENOS + ADVÉRBIO + (DO) QUE
> D) VERBO + MENOS + NOME + (DO) QUE

Aquele aluno *é menos atencioso (do) que* o outro.
O Brasil *produz menos carros que* o Japão.
Ele está *trabalhando menos do que* eu.

> **NOTA:** O comparativo de INFERIORIDADE é menos usado do que o comparativo de SUPERIORIDADE.

	SINGULAR	PLURAL
Bom	Melhor	Melhores
Bem	Melhor	
Mau (ruim)	Pior	Piores
Mal	Pior	
Grande	Maior	Maiores
Pequeno	Menor	Menores

Exemplos:

Restaurante bom:
Aquele restaurante é melhor (do) que esse.
Aqueles restaurantes são melhores (do) que esse.

Paulo joga bem:
Paulo joga melhor (do) que eu.
Paulo e João jogam *melhor* (do) que eu.

Filme ruim:
Esse filme é pior (do) que o filme que passou ontem.
Esses filmes são piores (do) que o filme que passou ontem.

Ela cozinha mal:
Ela cozinha pior (do) que o marido dela.
Elas cozinham *pior* (do) que os maridos.

Fábrica grande:
A fábrica do nordeste é maior (do) que a fábrica do sul.
As fábricas do nordeste são maiores (do) que as fábricas do sul.

Sala pequena:
A sala do diretor é menor (do) que a sala do presidente.
As salas dos diretores são menores (do) que as salas do presidente.

Comparativos de Igualdade

Numa festa, sexta-feira à noite:
— Roberto, eu vou embora. Estou muito cansado!
— É cedo, Gustavo. Eu trabalhei tanto quanto você e vou ficar até o fim! A festa está ótima!

A) Marina é *tão simpática quanto* Vera.
Esse livro é *tão bom quanto* aquele.
Nós estamos *tão preocupados quanto* vocês.

TÃO + ADJETIVO + QUANTO

B) Eu comi *tão depressa quanto* você.
Eles gastam *tão pouco quanto* nós.

TÃO + ADVÉRBIO + QUANTO

C) Eu senti *tanto medo quanto* você.
Nesse mês eu ganhei *tanto dinheiro quanto* no mês passado.
Estamos com *tanta fome quanto* vocês.
Eu estou com *tanta sede quanto* você.
Eu comprei *tantos livros quanto* Pedro.
O diretor apresentou *tantas idéias quanto* o presidente.
Márcia escreveu *tantas cartas quanto* Carmem.

TANTO/TANTA ou TANTOS/TANTAS + NOME + QUANTO

D) Cláudia está *entendendo tanto quanto* seu colega ao lado.
Eu *sei tanto quanto* você.

VERBO + TANTO QUANTO

NOTA: Observe o uso das estruturas: IGUAL *A* e DIFERENTE *DE*

Seu livro é *igual a*o meu.
Minha casa é *igual a* essa.
Seu presente é *diferente do* meu.
Aquele carro é *diferente de*sse.

8. Complete com o verbo no tempo adequado:

Ontem ela _____ (trazer) um amigo para conhecer a escola
José sempre _____ (fazer) feijoada aos sábados.
O que você _____ (fazer) agora?
Amanhã eu _____ (ver) um *show* de música popular brasileira.
O Paulo sempre _____ (vir) de carro para a escola.
No ano passado Márcia _____ (dar) aulas de português.
Normalmente eu _____ (pôr) duas colheres de açúcar no café.
Na semana que vem nós _____ (saber) o resultado do exame.
Ontem eu _____ (ler) um artigo muito interessante na revista Veja.
No próximo mês Ana _____ (dar) aulas de português.

DICA:	São masculinas as palavras terminadas em *a* tônico:
	o guaran*á* *o* maraj*á* *o* Canad*á* *o* Paran*á*

9. Faça o mesmo do exercício anterior no texto abaixo:

Mariana _____ (morar) em Campinas com duas amigas. Ela _____ (trabalhar) no Banco do Brasil e _____ (estudar) Psicologia à noite. Ela _____ (gostar) muito de morar em Campinas, porque ela _____ (ter) muitos amigos e _____ (ir) a muitas festas nos fins de semana.

No fim de semana passado ela _____ (ir) a um churrasco perto de Campinas. Todos _____ (divertir-se) muito. Eles _____ (nadar), _____ (andar) a cavalo, _____ (jogar) vôlei e, é claro, _____ (comer) um delicioso churrasco.

No final da tarde _____ (chover) um pouco e eles _____ (resolver) nadar com chuva mesmo.

Agora, a turma da Mariana _____ (planejar) fazer um piquenique na praia. Eles _____ (pensar) em alugar um ônibus para ir todo mundo junto.

Amanhã cedo Mariana _____ (telefonar) para algumas empresas de ônibus para saber os preços.

Será que _____ (fazer) sol?

10. Exercite os comparativos - Forme sentenças com adjetivos:

Exemplo: Suzana / inteligente / Carlos (superioridade)
Suzana é mais inteligente que Carlos.

a) Meu chefe / simpático / o seu chefe (superioridade)
b) Os carros no Brasil / caros / na Europa (igualdade)
c) Paris / grande / Nice (superioridade)
d) Essa máquina / boa / a outra (igualdade)
e) Esse engenheiro / eficiente / aquele (inferioridade)
f) Esses livros / bons / aqueles da biblioteca (superioridade)

11. Forme sentenças com nomes:

Exemplo: Antônio trouxe / cerveja / seus amigos (inferioridade)
Antônio trouxe menos cerveja do que seus amigos.

a) Eu recebi / cartas / você (superioridade)
b) São Paulo tem / restaurantes / o Rio de Janeiro (superioridade)
c) Aquele diretor fez / perguntas / o seu colega ao lado (igualdade)

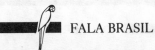

d) Eu tenho / amigos / o Paulo (igualdade)
e) Eu estou com / vontade de viajar / você (igualdade)
f) A empresa vai contratar / encanadores / eletricistas (inferioridade)

12. Forme sentenças com advérbios:

Exemplo: Ana dirige / devagar / seu marido (superioridade)
Ana dirige mais devagar do que seu marido.

a) Ele está nadando / bem / o irmão (igualdade)
b) O restaurante francês é / longe / o restaurante alemão (superioridade)
c) Mário dança / mal / a namorada (igualdade)

13. Forme sentenças com verbos:

Exemplos: Maria / viaja / eu (superioridade)
Maria viaja mais que eu.

a) Essa secretária / vai ganhar / aquela que saiu (inferioridade)
b) A gente / riu / eles (superioridade)
c) Nós / pagamos / os outros (igualdade)
d) Minhas filhas / estão reclamando / as dele (inferioridade)

14. Criando - Argumente a favor de um dos clubes abaixo usando o comparativo:

CLUBE A	CLUBE B
título barato	título caro
clube grande	clube pequeno
1800 sócios	500 sócios
longe da cidade	perto da cidade
15 quadras de tênis	5 quadras de tênis
4 piscinas	2 piscinas (sendo uma aquecida)
pouca atividade social	muita atividade social
2 campos de futebol	uma quadra de futebol de salão
restaurante	lanchonete
sauna	sauna

15. Agora, imagine a discussão que Estela e seu marido Valter tiveram. Estela gosta do Clube B, mas Valter quer comprar o título do Clube A.

RESUMO

VOCÊ É CAPAZ DE

1. Fazer compras
— Eu queria ver um fogão.
— Eu queria experimentar...

2. Fazer serviços de banco
— Eu queria abrir uma conta...

GRAMÁTICA
1. Formação do Presente contínuo (Verbo ESTAR no presente + Gerúndio).
2. Pronomes indefinidos (Algum/Alguma, Nenhum/Nenhuma etc).
3. Verbos irregulares (Presente e Pretérito perfeito: QUERER, PODER, SABER, DIZER e VER).
4. Comparativos (de Superioridade, Inferioridade e Igualdade).

EXPRESSÕES
é que (O que você quer?/O que *é que* você quer?)
Que pena!
Não adianta
Se não me engano

MÚSICA
Samba de uma nota só

Unidade VII

Fusos Horários

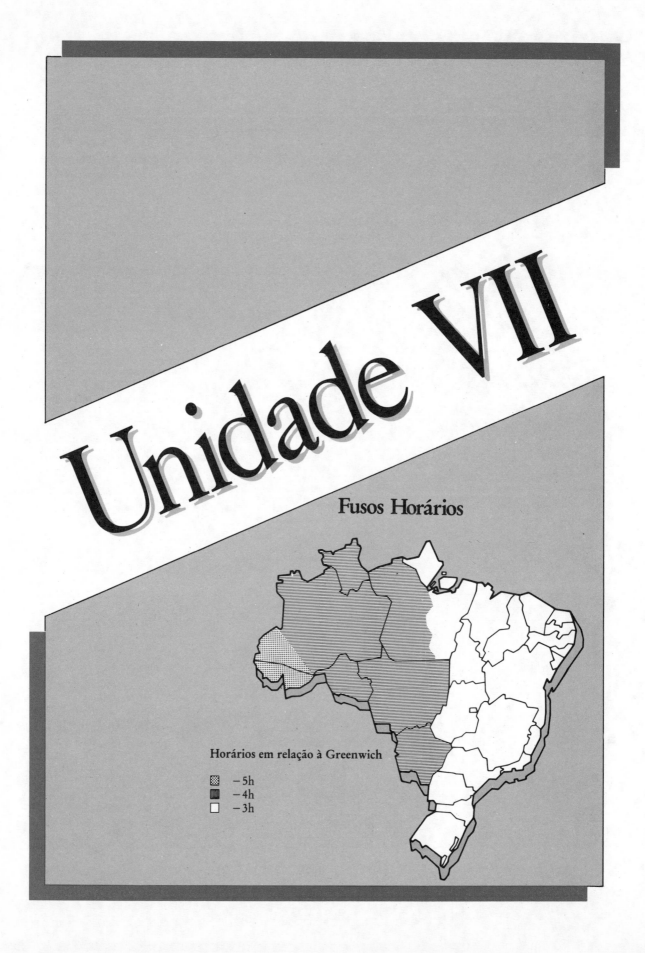

Horários em relação à Greenwich

- ▦ —5h
- ▥ —4h
- ☐ —3h

NA RECEPÇÃO

— Onde é o quarto 214, por favor?
— É no 2º andar. O elevador é no fundo do corredor.
— Obrigado.

NO QUARTO 214

— Que coisa, hem? Como aconteceu isso?
— Um louco me atropelou. Eu estava atravessando a rua calmamente...

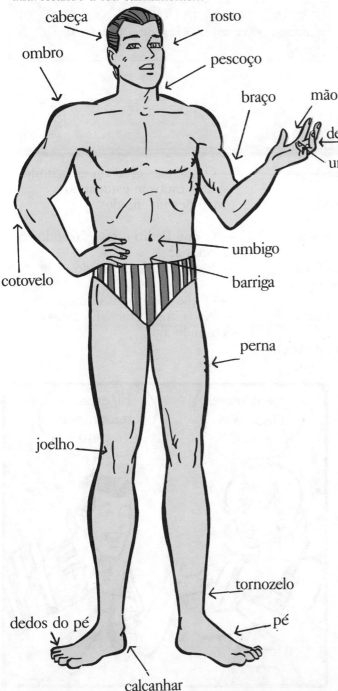

cabeça
rosto
ombro
pescoço
braço
mão
dedos
unhas
umbigo
barriga
cotovelo
perna
joelho
tornozelo
dedos do pé
pé
calcanhar

— E daí?
— Daí, esse louco passou no sinal fechado e me jogou longe. Olhe o meu estado. Eu quebrei a perna, o braço direito e dois dedos da mão esquerda. Estou com muita dor nas costas e, além disso, estou em observação porque, na queda, eu bati a cabeça no chão.
— Que azar!... E quanto tempo você vai ficar no hospital?
— No mínimo duas semanas!

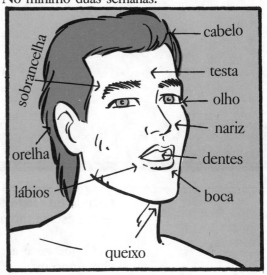

cabelo
testa
olho
nariz
dentes
boca
sobrancelha
orelha
lábios
queixo

[Três semanas depois]

[Trim... Trim...]

— Alô?
— De onde falam?
— 260-17-79
— Paulo?
— Oi, Mário, tudo bem?
— Mais ou menos... Você não soube o que aconteceu comigo?
— Não. O que é que aconteceu?
— Eu fui atropelado! e blá blá blá, blá blá blá, blá blá blá...
— Nossa! Que coisa, hem?
— Pois é... Sabe, eu ainda estou no hospital e preciso de um favor seu.
— Claro, o que é?
— Você podia pegar meu irmão no aeroporto? Ele vai chegar hoje à tarde da Europa.
— Tudo bem, mas eu não conheço o seu irmão...
— Ele é moreno, alto, tem olhos castanhos e é bem magro.
— Ah, então ele é parecido com você?
— É, mas ele é um pouco mais baixo que eu. Espere um pouquinho. Vou verificar o número do vôo...

1. Vamos fixar o vocabulário? Faça sua própria descrição: Como você é? Alto ou baixo? Louro ou moreno? Cabelos castanhos, pretos ou louros? Use tudo o que você aprendeu.

2. Agora, faça a descrição de outras pessoas que você conhece:
   seu professor   um amigo   alguém da família

I) Passado contínuo
Verbo TRABALHAR

Eu	estava	trabalh*ando*
Você	estava	trabalh*ando*
Ele/Ela	estava	trabalh*ando*
Nós	estávamos	trabalh*ando*
Vocês	estavam	trabalh*ando*
Eles/Elas	estavam	trabalh*ando*

Então:

> PASSADO CONTÍNUO = Verbo ESTAR no passado + verbo no Gerúndio (-*ando*, -*endo*, -*indo*)

Diálogos Dirigidos

— O que você estava fazendo quando eu telefonei?
— Eu estava tomando banho.

— O que você estava fazendo no clube ontem?
— Ah, é que ontem eu não fui à escola. Eu estava nadando.

— O que vocês estavam falando quando eu cheguei?
— Nós estávamos falando de você.
— Bem ou mal?

— O que eles estavam estudando?
— Eles estavam estudando pronomes indefinidos.

— O que Pedro estava fazendo na secretaria?
— Ele estava telefonando.

— O que você estava dizendo?
— Nada importante. Eu estava só pensando alto.

Você estava doente ontem?

Pois é... Eu estava sentindo muita dor de cabeça.

Que demora! Onde você estava?

Eu estava estacionando o carro.

II) Verbo HAVER no uso impessoal

Presente **Passado Perfeito**
HÁ   HOUVE

Sentido de *tempo passado*.
— *Há* quanto tempo você mora aqui?
— Eu moro aqui *há* dois anos.

— Estou esperando *há* uma hora!...

— Ele viajou *há* três semanas.

Sentido de *existir*.
— Onde *há* uma farmácia?
— *Há* uma logo ali, na esquina.

— Não *há* lugar como esse.

— Você pode me ajudar?
— Claro, não *há* problema.

NOTA: Apesar de se referir ao passado, o verbo HAVER é usado apenas no presente.

Sentido de *acontecer*.

— Mas qual é o problema? O que *há* com você?
— Ah, então você não soube o que *houve* comigo? Eu vou te contar...

NOTA: — Eu vou *te* contar (para você). *Te* é referente a *tu*. Na linguagem falada é bastante usado, embora inadequadamente, já que empregamos *você* como sujeito, e não *tu*.

Agora, observe outras possibilidades:

— *Há* quanto tempo você mora aqui?	Quanto tempo *faz que* você mora aqui?
— Eu moro aqui *há* dois anos.	*Faz* dois anos *que* moro aqui.
— Onde *há* uma farmácia?	Onde *tem* uma farmácia?
— Não *há* lugar como esse.	Não *tem* lugar como esse.
— Você não soube o que *houve* comigo?	Você não soube o que *aconteceu* comigo?

NOTA:

COM + EU = COMIGO
COM + NÓS = CONOSCO

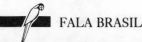

Exercício

3. Reescreva as frases abaixo usando o verbo HAVER:

a) *Faz* três anos *que* eu trabalho na IBM.
b) Quantos meses *faz que* você não fuma?
c) Quanto tempo *faz que* eles se separaram?
d) Meu filho se formou *faz* seis meses.
e) Fique tranqüilo! Não *aconteceu* nada.
f) [Toc... Toc...] *Tem* alguém em casa?
g) Paulo! Venha logo! *Tem* uma pessoa te esperando.
h) José parece triste... O que *está acontecendo* com ele?
i) *Existem* muitos problemas sem solução.
j) Onde *existem* índios no Brasil?

Sistematização

III) Uso do verbo FICAR

Observe estas frases:
Bom dia, seu João. A loja fica aberta à noite?

Vou ficar em casa hoje.

Que selos lindos! Posso ficar com eles?

Sua filha está ficando muito bonita.

Entre e fique à vontade. A casa é sua.

Minha casa fica numa rua tranqüila.

O Brasil fica na América do Sul.

Você ficou triste com o que eu disse?

Ele ficou furioso com a notícia.

O trabalho ficou pronto.

Este assunto fica para amanhã.

Isso fica entre nós.

Ela casou-se e ficou muito gorda.

Eu fiquei sabendo de tudo.

Posso ficar com seu lápis? Amanhã eu devolvo.

> **NOTA:**
> Significados do verbo FICAR:
>
> *Rester, devenir, garder.*
>
> To stay, to occupy place, to be, to become, to keep.

Exercício

4. Faça algumas frases similares com o verbo FICAR:

_____
_____
_____
_____
_____
_____

[Triim... Trim]
— Consultório do dr. Camargo, boa tarde.
— Boa tarde. Eu queria marcar uma consulta para sexta-feira próxima.
— A senhora já é cliente?
— Não. É a primeira vez.
— Sexta-feira... Bem, o dr. Camargo tem horário livre às 14 e 16 horas. Qual a senhora prefere?
— Eu prefiro às 16 horas.
— Está bem. Seu nome, por favor?

[Na sexta-feira...]
— O que a senhora está sentindo?
— Nada especial. Só um pouco de falta de ar. Eu queria fazer um *check-up*. [O médico examina a paciente]
— Eu vou pedir alguns exames de rotina: exame de urina, de sangue... Alguma vez a senhora já fez exame da taxa de colesterol?
— Não, nunca.
— Então, é bom verificar isso também. Provavelmente os exames vão ficar prontos dentro de uma semana. Aproveite e marque já o retorno com minha secretária.
— Está bem. Até logo e muito obrigada, dr. Camargo.
— Até logo e sempre às ordens.

Sistematização

1º grupo
REPETIR

IV) **Verbos irregulares. Observe estes verbos que apresentam irregularidade no presente do indicativo. No passado, eles são regulares.**

Eu	rep*i*to
Você	*repete*
Ele/Ela	*repete*
Nós	*repetimos*
Vocês	*repetem*
Eles/Elas	*repetem*

Então, como você observou, o verbo REPETIR é irregular apenas na 1ª pessoa:

$$e \rightarrow i$$

2º grupo
DORMIR

Eu	d*u*rmo
Você	*dorme*
Ele/Ela	*dorme*
Nós	*dormimos*
Vocês	*dormem*
Eles/Elas	*dormem*

Também neste caso só a 1ª pessoa é irregular:
$$o \rightarrow u$$

3º grupo
OUVIR

Eu	ou*ç*o
Você	*ouve*
Ele/Ela	*ouve*
Nós	*ouvimos*
Vocês	*ouvem*
Eles/Elas	*ouvem*

1ª pessoa $\longrightarrow$ *ç*

Exercícios

5. Agora, conjugue os verbos SENTIR, MENTIR, SEGUIR, PREFERIR e VESTIR.
Eles apresentam essa mesma irregularidade.

6. Seguindo o modelo do 2º grupo, conjugue os verbos COBRIR e DESCOBRIR.

7. Conjugue os verbos PEDIR e MEDIR observando essa mesma irregularidade.

V) Outros verbos irregulares no presente		PERDER	LER	SAIR (CAIR)	SUBIR (FUGIR)
	Eu	*perco*	*leio*	*saio*	*subo*
	Você	*perde*	*lê*	*sai*	*sobe*
	Ele/Ela	*perde*	*lê*	*sai*	*sobe*
	Nós	*perdemos*	*lemos*	*saímos*	*subimos*
	Vocês	*perdem*	*lêem*	*saem*	*sobem*
	Eles/Elas	*perdem*	*lêem*	*saem*	*sobem*

PERGUNTAS E RESPOSTAS

— Você repete? — Você mente? — Você descobre? — Você mede? — Você perde? — Você sai?
— Repito. — Minto. — Descubro. — Meço. — Perco. — Saio.

— Você dorme? — Você veste? — Você ouve? — Você cai? — Você sobe? — Você foge?
— Durmo. — Visto. — Ouço. — Caio. — Subo. — Fujo.

— Você sente? — Você cobre? — Você pede? — Você lê? — Você segue? — Você prefere?
— Sinto. — Cubro. — Peço. — Leio. — Sigo. — Prefiro.

Atenção:

O verbo FUGIR, além da irregularidade das vogais, apresenta uma outra, de ordem ortográfica: g ——→ j. Observe "Fonética" na *Unidade III*.

Diálogos Dirigidos

— Você sempre sente saudade da sua cidade natal?
— Bom, eu sinto muita saudade de lá quando eu recebo alguma carta dos meus pais.

— O que você faz quando uma pessoa não entende o número de seu telefone?
— Eu repito até a pessoa entender.

— Ontem eu saí com o seu amigo e a primeira coisa que ele perguntou foi a minha idade.
— E o que você disse?
— Ah... eu menti. Eu sempre minto quando alguém pergunta a minha idade.
— Mas que bobagem, Dulce!

— Quanto tempo você demora para se vestir?
— De manhã eu me visto em quinze minutos.

— Você sempre sente essa dor no joelho?
— Não. Eu só sinto dor quando jogo tênis.

— O que você falou para os funcionários?
— O de sempre. Eu sempre repito as mesmas coisas, mas parece que eles nunca aprendem.
— Então, eu acho que é você que não explica bem.

— Puxa, João! Como você está atrasado!
— É. Eu perdi a hora. Quando eu assisto TV até tarde eu sempre perco a hora. Desculpe!...

— A que horas você sai da escola?
— Depende. Às segundas e quartas eu saio às oito horas; às terças e quintas eu saio às dez.

— Ah! Então você mora no segundo andar... E você sobe pela escada ou pelo elevador?
— Normalmente eu subo *pela* escada, mas quando eu estou muito cansado, eu subo *pelo* elevador.

> **NOTA:** por + o(s) = pelo(s)
> por + a(s) = pela(s)

— Você jogou tênis com a Rita hoje?
— Joguei... e ganhei!
— Você sempre ganha dela?
— Não, em geral eu perco.

— Você ouve a Rádio Cultura?
— Não, eu prefiro a programação da Excelsior.

— Você pede desculpas quando comete um engano?
— Claro, eu peço. E você?

— Quanto você mede?
— Eu meço um metro e setenta e oito (centímetros).

— Você dorme tarde?
— Não. Eu durmo muito cedo.

— Seu cachorro fugiu de novo?
— Fugiu. Aquele danado sempre foge na hora do banho.

— Eu comprei uma enciclopédia que é uma droga...
— Mas por que você comprou?
— Porque eu sempre caio na conversa desses vendedores.

— Acorde, Paulo. A febre do Paulinho aumentou!
— Calma, meu bem. Vou ver se descubro uma farmácia aberta.

Você só ouve música clássica?

Não. Eu ouço todo tipo de música.

— Mário, você lê jornal todo dia?
— Leio, claro. É uma das primeiras coisas que faço.

— Você segue a novela das oito?
— Sigo. Raramente eu perco um capítulo.

— O que você prefere? Chá ou café?
— Eu prefiro chá.

V) MUITO ou MUITOS?

Eu estou *muito cansada*.
Eles *correram muito*.
Ela dança *muito bem*.

Mário tem *muito dinheiro*.
Eu li *muitos livros* nas férias.
Estou com *muita fome*.
Você tem *muitas manias*?

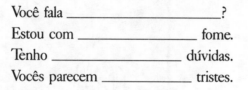

VERBO +

| MUITO | + ADJETIVO |
| MUITO |
| MUITO | + ADVÉRBIO |

| MUITO |
| MUITOS |
| MUITA |
| MUITAS |

+ NOME

Invariável   Variável

Exercício

8. Complete com MUITO, MUITOS, MUITA, MUITAS:

Você fala _____?

Estou com _____ fome.

Tenho _____ dúvidas.

Vocês parecem _____ tristes.

O orador falou _____ bem.

Comprei _____ frutas na feira.

Meu avô tem _____ saúde.

Vocês estão com _____ pressa?

MÚSICA

**Chuva, Suor
e Cerveja**

Caetano Veloso

Não se perca de mim
não se esqueça de mim
não desapareça
a chuva tá caindo
e quando a chuva começa
eu acabo de perder a cabeça

não saia do meu lado
segure o meu pierrô molhado
e vamos embora ladeira abaixo

acho
que a chu-
va aju-
da a gente a se ver
venha
veja
deixa
beija
seja
o que Deus quiser

a gente se embala
se embora
se embola
só pára na porta da igreja

a gente se olha
se beija se molha
de chuva suor e cerveja

VI) Formação do imperativo

Observe os exemplos tirados da música de Caetano Veloso:
Não se perca...
Não se esqueça...
Não desapareça...

Verbos terminados em -*AR* .... *E*
PARAR - Eu par-o .... par-e (PARE)

Verbos terminados em -*ER* .... *A*
DIZER - Eu dig-o .... dig-a (DIGA)

Verbos terminados em -*IR* .... *A*
SAIR - Eu sai-o .... sai-a (SAIA)

Cuidado: Alguns verbos mudam a forma para conservar o som:

PAGAR	Eu pag-o	pag *u e*	paguem
FICAR	Eu fic-o	fi *q u e*	fiquem

Observação:
O verbo PÔR e seus compostos (COMPOR, PROPOR etc.) seguem a segunda conjugação (-*ER*). Então, eu ponho ..... ponh*a*, ponh*am*.

Exercícios

9. Complete de acordo com os modelos:

VERBO	PRESENTE	IMPERATIVO	
		Singular	Plural
Observ*ar*	Eu observo	Observ*e*	Observ*em*
Faz*er*	Eu faço	Faç*a*	Faç*am*
Repet*ir*	Eu repito	Repit*a*	Repit*am*
Trazer	Eu trago	trag*a*	_____
Ver	Eu vejo	_____	_____
Subir	_____	_____	_____
Ouvir	_____	_____	_____
Dormir	_____	_____	_____
Ter	_____	_____	_____
Vir	_____	_____	_____
Perder	_____	_____	_____
Pedir	_____	_____	_____

10. Agora, faça o mesmo exercício na forma negativa:
Exemplos: Não observe(m); Não faça(m); Não repita(m) etc.

NOTA: Bem, como você já aprendeu a forma adequada, vamos esclarecer que na linguagem coloquial você vai ouvir muitas vezes "olha" no lugar de "olhe"; "vende" no lugar de "venda". É mais uma vez o pronome "tu" marcando sua presença, mesmo não aparecendo explicitamente. Sujeito de "olhe" *você*. Sujeito de "olha" *tu*.

Há 7 verbos que não obedecem a essa formação de imperativo, a partir do presente. São eles:

DAR	Eu *dou*	DÊ	DÊEM
IR	Eu *vou*	VÁ	VÃO
SABER	Eu *sei*	SAIBA	SAIBAM
QUERER	Eu *quero*	QUEIRA	QUEIRAM
ESTAR	Eu *estou*	ESTEJA	ESTEJAM
SER	Eu *sou*	SEJA	SEJAM
HAVER	Eu *hei*	HAJA	HAJAM

Exemplos:

Vá em frente.
Dê um doce à sua irmã, Pedrinho.
Saiba que o imperativo não é difícil.
Queiram ocupar seus lugares e boa viagem.
Esteja à vontade, a casa é sua.
Sejam felizes.
Haja paciência!! Como você é teimoso!

NOTA: Algumas das frases acima não são propriamente imperativas, pois exprimem simplesmente um desejo. Mas seu uso é fácil e a forma é a mesma do imperativo, por isso estão aqui incluídas.

Exercício

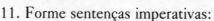

11. Forme sentenças imperativas:
Exemplos: (trazer o relatório) — Dona Marta, traga o relatório, por favor.
(dormir bem) — Boa noite, filhinho. Durma bem.
(sair daí) — João, saia já daí!

a) falar mais baixo — _____
b) seguir aquele carro — _____
c) não fazer mais isso — _____
d) ficar quieto — _____
e) não perder a hora — _____
f) não perder tempo — _____

Agora, continue sozinho, usando sua criatividade.

NOTA:
Perder hora ≠ Perder tempo.
Exemplos: O despertador não tocou e perdi a hora.
Eu falo, falo, eles não aprendem.
Estou perdendo (meu) tempo.

RESUMO

VOCÊ É CAPAZ DE

1. Identificar partes do corpo
2. Marcar uma consulta

— Quebrei uma perna...
— Eu queria marcar uma consulta para sexta-feira próxima.

JUQUINHA, EM QUANTAS PARTES SE DIVIDE O CORPO HUMANO?

DEPENDE DO TOMBO PROFESSORA!

GRAMÁTICA

1. Formação do passado contínuo (Verbo ESTAR no passado + verbo no Gerúndio).
2. Verbo HAVER (uso impessoal).
3. Verbo FICAR.
4. Verbos irregulares no presente do indicativo (REPETIR, OUVIR, DORMIR, SAIR, PERDER, SUBIR etc.).
5. Formação do imperativo (a partir da 1ª pessoa do presente).
6. Muito: variável e invariável.
7. Pronomes oblíquos (comigo, conosco etc.).

EXPRESSÕES

Ah, é que... (Ah, é porque...)
Que azar!
Que coisa, hem?
Que demora!
Uma droga.
Cair na conversa.
Perder tempo ≠ Perder hora.

MÚSICA

Chuva, Suor e Cerveja

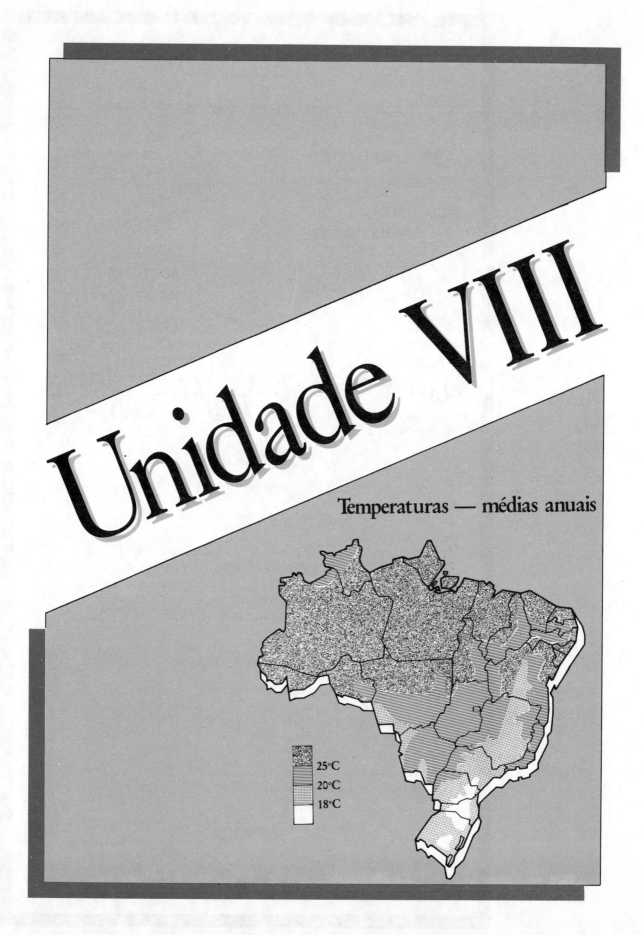

Unidade VIII

Temperaturas — médias anuais

25°C
20°C
18°C

LEMBRANÇAS DA INFÂNCIA

Naquela época a família Oliveira morava numa pequena cidade do interior de Minas Gerais. A casa ficava perto da praça principal da cidade e era imensa. Tinha quatro quartos, dois banheiros, duas salas, um escritório, uma copa, uma cozinha e, como era uma casa antiga, tinha também porão. Duas empregadas trabalhavam na casa. Uma cozinhava e passava, a outra arrumava a casa e lavava a roupa.

Seu Oliveira era casado com dona Laura e eles tinham três filhos: Vicente, Glória e Flávia. O sogro do seu Oliveira também vivia com a família. As crianças adoravam o avô porque ele contava histórias incríveis.

O seu Joaquim Oliveira, ou seu Juca, como todos o chamavam, era dono da única padaria da cidade.

Para as crianças, hoje adultas, as lembranças da infância vêm sempre acompanhadas do cheiro de pão quentinho.

Benedito — Maria

Bernardo — Rosa

Rita — Gustavo   Laura   Juca   Alice — Miguel

Marcelo   Cristina

Vicente   Flávia   Glória

A FAMÍLIA DE SEU JUCA E DONA LAURA

Avô — Seu Bernardo é avô de Vicente.
Avó — Dona Maria é avó de Cristina.
Avós — Seu Benedito e dona Maria são avós de Glória.
Pai — Gustavo é pai de Marcelo e Cristina.
Mãe — Dona Laura é mãe de Flávia.
Pais — Gustavo e Rita são pais de Marcelo e Cristina.
Sogro — Seu Benedito é sogro do seu Juca.
Sogra — Dona Rosa é sogra de Laura.
Sogros — Seu Benedito e dona Maria são sogros do seu Juca.
Irmão — Gustavo é irmão de dona Laura.
Irmã — Alice é irmã de seu Juca.
Irmãos — Vicente e Glória são irmãos de Flávia.
Cunhado — Gustavo é cunhado de seu Juca.
Cunhada — Alice é cunhada de dona Laura.
Filho — Vicente é filho de dona Laura.
Filha — Cristina é filha de Rita.
Filhos — Marcelo e Cristina são filhos de Gustavo.

Genro — Seu Juca é genro de dona Maria.
Nora — Laura é nora de seu Bernardo.
Neto — Marcelo é neto de dona Maria.
Neta — Cristina é neta de seu Benedito.
Netos — Vicente, Flávia e Glória são netos de dona Rosa.
Tio — Gustavo é tio de Flávia.
Tia — Dona Laura é tia de Marcelo.
Tios — Miguel e Alice são tios de Vicente.
Sobrinho — Marcelo é sobrinho de seu Juca.
Sobrinha — Flávia é sobrinha de Miguel.
Sobrinhos — Marcelo e Cristina são sobrinhos de dona Laura.
Primo — Vicente é primo de Cristina.
Prima — Flávia é prima de Marcelo.
Primos — Vicente e Glória são primos de Cristina.

A família não é tão grande. O relacionamento é que é complicado...

Exercício

1. Responda ou complete.

Quem é a sogra de dona Laura? _____

Quantos primos tem Cristina? _____

Quem é a irmã do seu Juca? _____

Quantos cunhados tem seu Juca? _____

Quem é a tia do Marcelo? _____

Seu Benedito e dona Maria têm _____ netos.

Seu Bernardo e dona Rosa têm três _____ .

Miguel é _____ de dona Rosa.

Rita é _____ de dona Maria.

Marcelo e Cristina são _____ .

Gustavo e seu Juca são parentes. Gustavo é _____ de seu Juca.

Vicente e Marcelo são parentes, porque eles são _____ .

Rita é parente de Flávia porque ela é _____ de Flávia.

Seu Juca é parente de Cristina. Ele é seu _____ .

Sistematização

I) Pretérito Imperfeito

Verbos terminados em
- AR

- AVA
- AVA
- ÁVAMOS
- AVAM

Verbos terminados em
- ER e - IR

- IA
- IA
- ÍAMOS
- IAM

CANT*AR*: Eu cant-ava
Você cant-ava
Ele/Ela cant-ava
Nós cant-ávamos
Vocês cant-avam
Eles/Elas cant-avam

PERD*ER*: Eu perd-ia
Você perd-ia
Ele/Ela perd-ia
Nós perd-íamos
Vocês perd-iam
Eles/Elas perd-iam

SA*IR*: Eu sa-ía
Você sa-ía
Ele/Ela sa-ía
Nós sa-íamos
Vocês sa-íam
Eles/Elas sa-íam

Exercício

2. Perguntas e respostas

Exemplos:

— Você tomava?
— Tomava.

— Você fazia?
— Fazia.

— Vocês iam?
— Íamos.
(a gente ia)

Agora, faça você mesmo perguntas e respostas para automatizar. Use os verbos que você já conhece (com exceção de SER, TER, VIR e PÔR que são irregulares).

II) Verbos Irregulares no Imperfeito

SER	TER	VIR	PÔR
era	*tinha*	*vinha*	*punha*
era	*tinha*	*vinha*	*punha*
éramos	*tínhamos*	*vínhamos*	*púnhamos*
eram	*tinham*	*vinham*	*punham*

PERGUNTAS E RESPOSTAS

— Você era?
— Era.

— Você tinha?
— Tinha.

— Você vinha?
— Vinha.

— Você punha?
— Punha.

— Ele era?
— Era.

— Ela tinha?
— Tinha.

— Vocês punham?
— Púnhamos. (a gente punha)

— Eles vinham?
— Vinham.

3. *Estamos em...*

ÉPOCA ATUAL

1960: Paulo *é* diretor da G.E.. Ele *mora* em Campinas-S.P.. Ele *viaja* muito pela Companhia e *adora* seu trabalho. Nos fins de semana ele *vai* com a família para a praia. Eles *têm* uma casa perto de Ubatuba, no litoral paulista.

Agora fale sobre a vida de Paulo naquela época: Em 1960, Paulo *era* diretor.........................
....

1975: Maria *é* professora de inglês e *estuda* balé. Ela *mora* no Rio. O professor dela *é* alto e *tem* cabelos pretos. Ela *está* apaixonada por ele. Eles *fazem* muitos programas juntos: *vão* ao teatro, ao cinema etc.

Atualmente Maria mora em São Paulo. Como era a vida dela no Rio?

1912: A vida no Rio de Janeiro *é* calma e gostosa. No fim da tarde as pessoas *põem* as cadeiras na calçada e *conversam*, enquanto as crianças *brincam* na rua. Todo mundo se *conhece* porque a cidade *é* pequena.

Como era a vida no Rio de Janeiro no início do século?

4. Você já sabe como usar o imperfeito. Pratique falando sobre a sua infância, e como era a sua cidade natal naquela época. Fale também sobre a sua vida na Universidade e os planos que você tinha para o futuro.

III) PRONOMES

Exemplo: O carro cor-de-rosa

Meu irmão comprou um carro novo, mas a mulher dele não gostou da cor. Então, ele *o* vendeu (vendeu *o carro*) para seu vizinho. O vizinho *o* deu (deu *o carro*) para seu filho que *o* pintou (pintou *o carro*) de outra cor.

> Os pronomes *o*, *a*, *os*, *as* são usados para substituir um nome já referido anteriormente. Quando a referência está clara no contexto, nós podemos omitir o pronome:

— Você já pagou a conta?
— Já. Eu (a) paguei ontem de manhã.

— Sua blusa é demais!
— Você gostou? Eu (a) comprei no Shopping.

— Carro novo, hein?
— É, é novinho em folha. Eu (o) ganhei do meu pai na semana passada.

Agora, observe a relação dos pronomes:

Eu..	me
Tu..	te
Você...	o, a
Ele...	o
Ela...	a
Nós..	nos
Vocês..	os, as
Eles..	os
Elas..	as

Exemplos:

a) *Eu* fui à imobiliária e eles *me* levaram para ver alguns apartamentos.

b) João, *você* não precisa mentir. Eu *o* vi na festa!
   (linguagem coloquial: "Eu vi *você* na festa." "Eu *te* vi na festa.")

c) *O João* estava na festa. Eu *o* vi lá, tenho certeza.
   (linguagem coloquial: "Eu vi *ele* lá.")

d) Eu estava com raiva *dela* e *a* joguei na piscina.
   (linguagem coloquial:...........e joguei *ela*......)

e) *Nós* queríamos uma carona até o bosque. Alfredo *nos* levou até lá.

f) *Vocês* não entenderam? Não se preocupem. Eu *os* ensino a fazer os exercícios.
   (linguagem coloquial: "Eu ensino *vocês*...")

g) *Os funcionários* pediram um aumento absurdo. Então, a Companhia *os* mandou embora.
   (linguagem coloquial: "mandou *eles* embora.")

h) Onde você conheceu *as minhas amigas*?
   Ah! eu *as* conheci no clube.
   (linguagem coloquial: "conheci *elas*")

Exercício

5. Complete com os pronomes *o, a, os, as*:

— Quando você viu *o João*?
— Eu _____ vi ontem.

— Onde você comprou *essas camisas*?
— Eu _____ comprei na Mesbla.

— Por que você não cumprimentou a professora?
— Porque eu ainda não _____ conheço.

— Quem inventou essa história?
— Meu irmão_____ inventou.

— Qual é o nome do porteiro do prédio?
— Não sei. Nós _____ chamamos de "Seu Juca". (Seu apelido é Juca.)

— Como eles conseguiram sair da prisão?
— Eu acho que alguém _____ ajudou.

— Nossa! Como é pesado! Quantos quilos pesa esse peixe?
— Talvez uns 10 quilos. Nós ainda não _____ pesamos.

— O que o Antônio achou do novo computador?
— Nada! Ele ainda não _____ experimentou.

— O que houve com as bolachas que estavam em cima da mesa?
— Eu _____ escondi no armário para as crianças não comerem.

— Quantas vezes por semana ela faz ginástica?
— Todo dia ("todos os dias"). Eu sempre _____ vejo lá.

IV) Observe a transformação:

Eu vou ver ~~o Pedro.~~
↓
o

Eu vou vê~~r~~-lo ⇒ Eu vou vê-lo.

R + O(S) → ~~R~~ - LO(S)
R + A(S) → ~~R~~ - LA(S)

Exemplos:

Maria é uma preguiçosa. Eu vou acor*dá-la*.
Meus cabelos estão molhados. Preciso enxu*gá-los*.
O show foi muito engraçado. Vocês não podem per*dê-lo*.
Pedrinho, você está com as *mãos sujas*. Você precisa la*vá-las*.

Agora, preste atenção à acentuação gráfica:

VERBOS EM -*AR*:   ACOR*DÁ*-LO
VERBOS EM -*ER*:   *VÊ*-LO
VERBOS EM -*IR*:   DIVI*DI*-LO

Exercício

6. Substitua as expressões grifadas por *lo, la, los, las*. Não se esqueça de transformar os verbos:

— Você já mandou as cartas?
— Ainda não. Eu vou mandar *as cartas* hoje mesmo.

_____

Não gostei dos quadros. São muito feios. Vou devolver *os quadros*.

_____

Esse disco é ótimo! Quero ouvir *este disco* com mais calma.

_____

Sílvia é a nova diretora da empresa. Eu vou apresentar *Sílvia* a vocês amanhã.

_____

O projeto está pronto. Amanhã nós vamos discutir *o projeto* com a diretoria.

_____

> **NOTA:** As formas verbais terminadas em S e Z (fi*z*, visitamo*s*) seguem a mesma regra, mas atualmente são pouco usadas mesmo na linguagem escrita.
> Ex:- nós *o* visitamos   visitamo-lo
>   eu *o* fiz   fi-lo

V) VERBOS IRREGULARES no Presente do Indicativo

RIR	DISTRIBUIR
Rio	*Distribuo*
Ri	*Distribui*
Rimos	*Distribuímos*
Riem	*Distribuem*

Exercícios

7. Conjugue o verbo SORRIR tomando como modelo o verbo RIR.

8. Conjugue os verbos ATRIBUIR e SUBSTITUIR a partir do verbo DISTRIBUIR.

> **NOTA:** os verbos terminados em *-UIR* seguem esse mesmo modelo (*Distribuir*), com exceção de *Construir* e *Destruir*.
>
> Construir: *Construo*
> *Constrói*
> *Construímos*
> *Constroem*

9. Conjugue o verbo DESTRUIR seguindo o modelo de CONSTRUIR.

10. Complete com o Presente:

Eu nunca _____ (rir) quando contam piadas sem graça.

O prefeito não permitiu a instalação da fábrica porque ela _____ (poluir) muito.

A soja _____ (substituir) perfeitamente o feijão.

A construtora do meu cunhado só _____ (construir) apartamentos de alto padrão.

A empresa onde minha sogra trabalha _____ (distribuir) cestas de Natal todos os anos para os funcionários.

Eu preciso preservar minha autoridade, por isso eu não _____ (sorrir) para ninguém no escritório.

A) TRAZER

Querida, você podia me *trazer* um sanduíche de atum?

B) LEVAR

Querido, você podia, pelo menos, *levar* o prato para a cozinha depois de comer, né?

C) BUSCAR

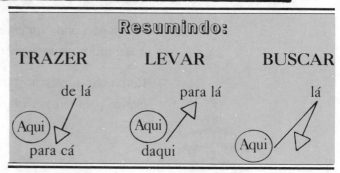

Esse sanduíche me deu uma sede danada. Você podia *buscar* um copo d'água pra mim?

Você já está abusando, hem? Que tal você mesmo ir buscar?

TRAZER: Transporte de pessoa, objeto ou animal, para o lugar do *momento da fala*.

LEVAR: Transporte da pessoa, objeto ou animal, para *outro lugar*, diferente daquele do momento da fala.

BUSCAR: Movimento para *outro lugar com o propósito de pegar* a pessoa, objeto ou animal, e transportá-la, geralmente, para o ponto de origem.

Resumindo:

TRAZER	LEVAR	BUSCAR
de lá	para lá	lá
Aqui →	Aqui ↗	Aqui ↘
para cá	daqui	

Exercícios

11. Forme frases com TRAZER, LEVAR e BUSCAR usando sua própria experiência.
Exemplo: Hoje eu *trouxe* minha pasta.

12. Vamos criar?

Dulce era a empregada que lavava e arrumava a casa. Ela era muito brava e as crianças morriam de medo dela. Dulce vivia reclamando da quantidade de roupa que lavava toda a semana.

> **NOTA:** *Vivia* reclamando = *estava sempre* reclamando.
> vivia cansado/distraído, etc.

Releia o primeiro texto da unidade e faça descrições das outras pessoas que viviam na casa de seu Juca e dona Laura. Use a sua imaginação com a ajuda do vocabulário abaixo:

inteligente	alegre	chato	invejoso
organizado	trabalhador	agressivo	indeciso
calmo	estudioso	curioso	arrogante
simpático	esforçado	mal-humorado	ingênuo

Vocabulário para consulta - Roupas de casa - Linens - *Linge*

De Cama

m- lençol	sheet	*drap*
f- fronha	pillow case	*taie d'oreiller*
f- colcha	bed spread	*couverture/couvre-lit*
m- cobertor	blanket	*couverture*

De Mesa

f- toalha	table cloth	*nappe*
m- guardanapo	napkin	*serviette de table*

De Banho

f- toalha (de banho)	towel	*serviette de toilette*
f- toalha (de rosto)	hand towel	*essuie-mains*
m- tapete de banheiro	throw rug	*petit tapis pour la salle de bain*

Em Pirapora, a cidade onde morava a família do seu Juca, funcionava uma grande fábrica de queijo.

O cunhado do seu Juca, seu Miguel, era o diretor administrativo. A fábrica produzia quatro tipos de queijo e para isso usava o leite produzido na região. O seu Miguel era o responsável pela compra do leite e por isso tinha muito contato com os fazendeiros, através das reuniões que eles faziam freqüentemente. Nessas reuniões eles discutiam o preço do leite, o volume da produção e outros assuntos.

A secretária do seu Miguel se chamava Diva e era ela quem marcava e providenciava tudo para as reuniões.

[Na sala do seu Miguel]
— D. Diva, a senhora já marcou a reunião?
— Já. Vai ser nessa sexta-feira, às 14:30 h.
— A senhora conseguiu falar com todos os produtores?
— Consegui.
— Ótimo. A senhora podia me trazer o relatório de compras do mês passado?
— Só mais dez minutos. Estou acabando de bater.

. . . .

— D. Diva, a senhora podia chamar o gerente de pessoal?

[Alguns minutos depois...]
[toc, toc, toc...]
— Entre, Armando.
— Bom dia, seu Miguel.
— Bom dia. Armando, nós precisamos resolver qual vai ser o salário dos novos funcionários da segurança.

[Antes da reunião]
— D. Diva, a senhora já providenciou tudo para a reunião com os produtores de leite?
— Já. Eu pus lápis, borracha, caneta e um bloco para cada um deles.
— Perfeito.

[No fim da reunião]
— A senhora anotou tudo?
— Sim, senhor.
— Então, depois de datilografar o relatório, deixe-o em cima da minha mesa.
— Mais alguma coisa, seu Miguel?
— Não. Por hoje é só. Tenha um bom fim de semana. E, por favor, não deixe para bater o relatório na última hora, como a senhora fez com o do mês passado.

VII) Mais PRONOMES INDEFINIDOS

Eu trabalho **todos** *os dias* com o João. (Também possível: *todo dia*)
Eu fiquei com minha avó no hospital **todas** *as tardes*, durante uma semana e meia.

Atenção: Eu trabalho *o dia todo* com o João.
= o dia inteiro
Ontem eu fiquei com minha avó
a tarde toda. = a tarde inteira.

Atenção senhores passageiros! *Cada* um de vocês vai receber um formulário.

Eles têm três computadores na fábrica.
Cada computador faz um tipo de trabalho.

Eu tenho que fazer a operação. O médico não me deu *outra* alternativa.

Não gostei desse modelo. Você tem *outros*?

Eu tenho *vários* livros sobre arqueologia.

Marisa é muito agitada. Ela tem *várias* atividades.

Ela disse que você pode ir lá *qualquer* dia.

Você tem três opções. Pode escolher *qualquer* uma.

Exercício

13. Complete com: *toda, todo, todas, todos, outro, outra, outros, outras, cada, qualquer, vários, várias*.

— Ele estava com dor de cabeça, mas assistiu a _____ aulas.

— Eu queria um pastel.
—. Sinto muito, dona Laura. Não sobrou nenhum. As crianças comeram _____ .

— Você falou com ele?
— Não. Eu fiquei a manhã _____ esperando, mas ele não telefonou.

— Você conhece bem o Rio?
— Conheço. Eu vou sempre ao Rio porque eu tenho _____ amigos que moram lá.

— Zé, a pia do banheiro entupiu.
_____ vez? Não é possível. Eu consertei essa pia na semana passada!

— Ele anda muito irritado!
— É verdade. _____ dia desses ele vai ter um ataque do coração...

— Quantos livros você tem?
— Dez. Um para _____ aluno.

— Você está a pé?
— Estou. Eu vendi o meu carro e ainda não comprei _____ .

— Achou as chaves?
— Ainda não. Eu já procurei na casa _____ .

— Eu decidi procurar o seu advogado.
— Ele é um ótimo advogado. Ele pode resolver _____ problema.

— O balé vai ser ótimo!
— É verdade. Eu ouvi dizer que eles já venderam _____ os ingressos.

— Olha lá que dança estranha!
— É estranha para nós. _____ povo tem seus costumes (hábitos).

— Nós queremos uma casa com piscina.
— Tudo bem. Eu tenho _____ casas com piscina para alugar.

— Você já tem uma definição?
— Por enquanto não. Eu estou estudando as _____ propostas.

NOTA:
Ouvi dizer - isto é, alguém disse e eu ouvi.

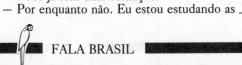

VIII) QUAL...? QUAIS...?

Exemplos: A - Eu tenho vários livros que te interessam.
Escolha *um*. *Qual* você quer?

B - Eu tenho vários livros que te interessam.
Escolha *alguns*. *Quais* você quer?

O QUE...?   QUAL...?

Como você vê no exemplo "A", *qual* é usado, normalmente, para uma *escolha*, *eliminando as outras possibilidades previsíveis* (livro "a", livro "b", livro "c", livro "d").

Usamos *o que* quando a resposta pode nos surpreender, não estando limitada a um número determinado de possibilidades (O que você quer? O que você viu?).

Mas, muita atenção às frases abaixo, onde usamos *qual*. Note que normalmente são questões sobre dados pessoais:

Exercícios

14. Complete com *qual*, *quais*, *o que*:

Nós temos três modelos de carro. _____ o senhor prefere?

Eu não tenho uma resposta agora. Antes eu tenho que saber _____ são os planos do meu sócio.

Como você está pálida! _____ aconteceu?

_____ é o nome da sua sobrinha?

_____ é isso?

_____ são as suas intenções?

Amanhã é aniversário do Celso. _____ você vai comprar para ele?

Eu pintei dois quadros. _____ deles está melhor?

Esses são os meus filhos. _____ são os seus?

_____ é o seu endereço?

NOTA:
ter que / ter de
+
infinitivo
=
precisar
+
infinitivo

15. A partir da dica "que/o que", complete as frases:

_____ dia é hoje?   _____ cidade é essa?

_____ João viu?   _____ filme você foi ver ontem?

_____ menino é esse?   _____ o diretor resolveu?

_____ menino é aquele?

IX) Observe os exemplos e compare:

1) Ele sempre acordava tarde.

Naquele dia ele acordou cedo.

2) Quando ele era criança, ele morava no Japão.

Ele morou no Japão dez anos.

3) Ele era um bom menino e escovava os dentes todos os dias.

Mas... no dia 25 de fevereiro ele não escovou os dentes.

4) Maria fumava muito.

Maria ficou grávida e fumou seu último cigarro ontem.

5) Sabe, eu era escoteiro quando morava em São Paulo.

Mais alguém nessa classe já foi escoteiro?

A partir dessas frases, podemos dizer que:

1) O *IMPERFEITO* é como um filme do passado.

O *PERFEITO* é como uma fotografia do passado.

2) O *IMPERFEITO* é um espaço de tempo no passado.

O *PERFEITO* é usado para expressar tempo delimitado no passado.

3) O *IMPERFEITO* é um hábito no passado.

O *PERFEITO* é um ponto no passado.

4) No *IMPERFEITO* você não percebe claramente o fim da ação.

No *PERFEITO* você percebe claramente o fim da ação.

5) No *IMPERFEITO* há um envolvimento maior com o passado.

No *PERFEITO* a informação é mais objetiva.

Apesar de todos esses contrastes, ainda há casos onde você pode encontrar dificuldades, principalmente com os verbos: *estar, ser, ter*.

Exemplos:

1) Ontem eu *estava* com dor de cabeça.

2) Ontem eu fui a uma festa. A casa *era* linda!

3) Ontem não *tinha* ninguém no clube. (ou havia)

PRETÉRITO PERFEITO

ESTAR	SER	TER
estive	*fui*	*tive*
esteve	*foi*	*teve*
estivemos	*fomos*	*tivemos*
estiveram	*foram*	*tiveram*

— Sua filha teve aula ontem?
— Teve.

    — Você foi uma criança calma?
    — Não. Não fui.

— Você gostou da festa?
— Muito. Foi ótima!

— Você já esteve na China?
— Não. Eu nunca estive lá.

    — Vocês tiveram problemas na alfândega?
    — Não. Não tivemos.

— Você já esteve na casa nova da sua sobrinha?
— Já. Eu estive lá ontem.

DICA: O verbo ESTAR é mais usado no imperfeito. Note que quando "ESTAR" é usado no pretérito perfeito, geralmente tem sentido de "Present Perfect" (have been).

Exercícios

16. Complete com o pretérito perfeito ou com o pretérito imperfeito dos verbos entre parênteses:

Ontem à noite eu _____ (*ter*) um problema com o carro.

Serginho não viajou conosco em 1984 porque ele ainda _____ (*ser*) menor de idade (menor de 18 anos).

Ontem meu chefe _____ (*estar*) muito irritado.

Na faculdade, em geral, eu não _____ (*ter*) muito tempo para fazer esportes.

Nós _____ (*ser*) vizinhos durante dois anos.

Ontem nós _____ (*estar*) na sua casa, mas não _____ (*ter*) ninguém.

Meu chefe _____ (*estar*) no hospital, porque ele _____ (*ter*) um ataque do coração.

Eles foram à casa da Sílvia para falar com ela, mas ela não _____ (*estar*) lá.

Todos gostaram do fim de semana porque o hotel _____ (*ser*) excelente e o tempo _____ (*estar*) ótimo.

A festa _____ (*ser*) tão chata! Não _____ (*ter*) ninguém interessante.

17. Depois de corrigido o Exercício 16, pratique-o em voz alta para "habituar o ouvido" a essas situações (perfeito/imperfeito).

Observação:

A festa foi tão chata! (última frase do Exercício 16)

Você notou como damos ênfase?
Com as mesmas palavras usadas no comparativo:
Tão/tanto

Eu comi *tão* bem!   (tão + advérbio)
Estou *tão* feliz!   (tão + adjetivo)
Tenho *tantas* dúvidas! (tanto (s) + nome)
                tanta (s)

Eu ri *tanto*!   (verbo + *tanto*).

Agora, veja como exprimir conseqüência:
(tanto que)

— Eu comi *tanto que* quase explodi.
— Ri *tanto que* até chorei.

Fácil, não é? Forme novas frases.

MÚSICA

Leia com atenção a letra desta música e, com base no que você aprendeu, compare o uso do pretérito perfeito e imperfeito.

Valsinha

Vinícius de Morais/Chico Buarque

Um dia ele *chegou* tão diferente
Do seu jeito de sempre chegar
Olhou-a de um jeito muito mais quente
Do que sempre *costumava* olhar
E não *maldisse* a vida tanto
Quanto *era* seu jeito de sempre falar
E nem *deixou-a* só num canto,
Pra seu grande espanto
Convidou-a pra rodar
Então ela se *fez* bonita
Como há muito tempo
Não *queria* ousar
Com seu vestido decotado
Cheirando a guardado de tanto esperar
Depois os dois *deram-se* os braços
Como há muito tempo não se *usava* dar
E cheios de ternura e graça
Foram para a praça
E *começaram* a se abraçar
E ali *dançaram* tanta dança
Que a vizinhança toda *despertou*
E *foi* tanta felicidade
Que toda a cidade enfim se *iluminou*
E foram tantos beijos loucos
Tantos gritos roucos como não se *ouviam* mais
Que o mundo *compreendeu*
E o dia *amanheceu* em paz.

RESUMO

Situação: No trabalho
Texto: Lembranças da infância (casa e família)

GRAMÁTICA

1) Pretérito imperfeito.

2) Pronomes oblíquos átonos (me, o(s), a(s), lo(s), la(s), nos).

3) Verbos irregulares no presente (RIR, DISTRIBUIR, CONSTRUIR etc.).

4) Pronomes indefinidos (todo(s), toda(s), vários(as), cada, qualquer, outro(s), outra(s)).

5) Pronomes interrogativos (qual, quais, o que, que).

6) Verbos irregulares no pretérito perfeito (SER, TER, ESTAR)

7) Verbos: LEVAR, TRAZER, BUSCAR.

EXPRESSÕES

Que tal?
por hoje é só
novinho em folha
é demais!
viver reclamando/cansado/distraído etc.
ouvir falar
Tão...!/tanto...!
ter de/que (= precisar)
pelo menos

MÚSICA

Valsinha

Unidade IX

Tipos de clima

- Equatorial úmido
- Equatorial semi-úmido
- Semi árido
- Tropical
- Tropical de Altitude
- Subtropical

empregado: Bom dia. Quanto vai?

cliente: Pode completar.

empregado: Posso dar uma olhadinha na frente?

cliente: É, pode olhar. A água da bateria também, por favor.

empregado: Pois não. Ô dona, tá faltando um litro de óleo, e além disso esse óleo tá meio sujo.

cliente: Então, é melhor trocar.

empregado: Que óleo a senhora usa?

cliente: Qualquer um, tanto faz.

empregado: Tá bom. Enquanto isso a senhora pode tomar um cafezinho no bar.

[Vinte minutos depois...]

cliente: Já acabou?

empregado: Estou quase acabando. Só mais um minutinho, dona.

cliente: Puxa! Que demora!

[Cinco minutos depois]

empregado: Já está pronto, dona.

cliente: Quanto é?

empregado: Deixa eu ver... CR$ 3.527,00 de gasolina, mais CR$ 1.620,00 de óleo, dá CR$ 5.147,00

cliente: Tá bem. O senhor podia calibrar os pneus? Acho que tem um meio murcho.

empregado: Quanto põe?

cliente: 24 na frente e 26 atrás. O carro está carregado.

empregado: Pronto, dona. Está tudo em ordem.

cliente: Posso pagar com cheque?

empregado: Pode.

cliente: Olha aqui o cheque. E olha aqui para o senhor.

empregado: Obrigado. Pera aí. Vou dar uma limpadinha no pára-brisa pra senhora. Está muito sujo.

cliente: Está bem, mas rápido, moço! Estou com pressa. Vou viajar.

empregado: Pronto. Até logo e boa viagem.

cliente: Obrigada. Até logo.

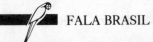

O senhor aceita cartão de crédito?

Observe os equivalentes de outras expressões abaixo:

pode completar = pode encher o tanque.
meio sujo = um pouco sujo.
tá = está (forma contraída de)
pera = espera (forma contraída de)

Sistematização

I) DIMINUTIVOS

Você já notou como os brasileiros usam a forma diminutiva?

Exemplos: Vou olhar   Vou limpar
             Vou dar uma olhada   Vou dar uma limpada
             Vou dar uma olhadinha   Vou dar uma limpadinha

Para formar o diminutivo, basta acrescentar:

-INHO/-INHA   ou   -ZINHO/-ZINHA

casa- casinha   café- cafezinho
longe- longinho   hotel- hotelzinho
pouco- pouquinho   rua- ruazinha
inteiro- inteirinho   homem- homenzinho

Resumindo:
a) Regra geral: -INHO
b) Palavras terminadas em: sílaba tônica
                           (café, hotel)
                           em encontro vocálico (rei)
                           em som nasal (homem)
                           acrescenta-se -ZINHO

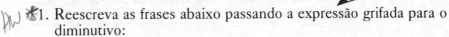

1. Reescreva as frases abaixo passando a expressão grifada para o diminutivo:

Como chove! Que *tempo* chato! _____ ✓

Eu moro *perto* do meu trabalho. _____

Que *vida* boa! Sombra e água fresca. _____ *videira* _____

Ele tem um *nariz* lindo. _____

Mãe, já estou saindo, tá! _____

Fiquei num *hotel* muito aconchegante. _____

Quem quer *pão* de leite? _____

Ô *mulher* terrível! Tem uma língua! _____

Mas ele é tão *bom*! _____

Está fazendo um *sol* tão bom! Vou ao clube. _____

II) AUMENTATIVOS

	-ÃO/-ONA	*-ZÃO/-ZONA*
A formação do aumentativo é parecida com a do diminutivo. Os sufixos mais comuns são:	abra*ço*- abra*ção* bei*jo*- bei*jão* bonit*o*- bonit*ão* grand*e*- grand*ão* bob*a*- bob*ona*	*pé*- pe*zão* pap*el*- papel*zão* marr*om*- marron*zão* p*ai*- pai*zão* mão- mão*zona*

III) Pretérito Mais-Que-Perfeito (composto)

1. Quando meu marido e eu entramos no cinema, o filme começou.

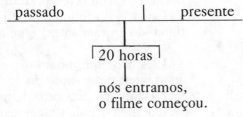

passado | presente

20 horas

nós entramos,
o filme começou.

2. Quando meu marido e eu entramos no cinema, o filme já *tinha começado*.

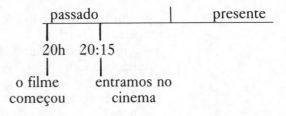

passado | presente

20h 20:15

o filme   entramos no
começou   cinema

Eu não fui ao restaurante com eles porque já tinha jantado.

Ela não comprou o jornal porque já o tinha lido no escritório.

Nós não falamos com ele porque, quando chegamos lá, ele já tinha saído.

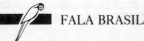

IV) Formação do Particípio Passado

CANT-*AR* _____ CANT-*ADO*

BEB- *ER* _____ BEB-*IDO*

ASSIST-*IR* _____ ASSIST-*IDO*

2. Dê os particípios dos verbos abaixo:

levantar- _____   ler- _____   dormir- _____

usar- _____   ter- _____   sair- _____

mandar- _____   vender- _____   sentir- _____

preparar- _____   esconder- _____   mentir- _____

alcançar- _____   receber- _____   sorrir- _____

V) Formação do Pretérito Mais-Que-Perfeito

TINHA		
TINHA		
TÍNHAMOS	+	PARTICÍPIO
TINHAM		

Diálogos Dirigidos

— Você apostou na loteria?

— Apostei.

— Foi a primeira vez?

— Não. Eu já tinha apostado antes.

— Por que você não comprou cigarro?

— Quando eu cheguei lá, o bar já tinha fechado.

— Vocês foram ao restaurante francês?

— Fomos. Minha mulher, que nunca tinha ido, adorou.

— Eu levei o Juquinha à praia no fim de semana passado.

— E daí, ele se divertiu muito?

— Ele não aproveitou quase nada porque choveu o tempo todo.

— Coitado do Juquinha! Nunca tinha ido à praia antes! Que azar!

— Eles não compraram o apartamento *por causa* do financiamento. Era caro demais.

— Que pena! Eles tinham escolhido até os móveis.

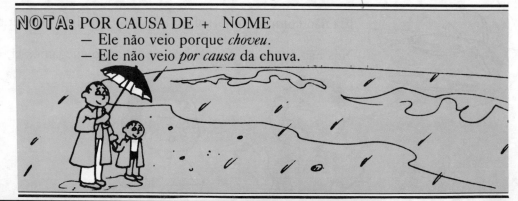

NOTA: POR CAUSA DE + NOME

— Ele não veio porque *choveu.*

— Ele não veio *por causa* da chuva.

3. Agora, complete você mesmo e depois pratique:

— Você assistiu àquele filme sobre a Segunda Guerra Mundial?
— Assisti. Eu nunca _____ _____ a um filme tão bom. (assistir)

— Meu nome é Sílvia. Acho que você está me confundindo com outra pessoa.
— Desculpe, isso nunca _____ _____ comigo antes. (acontecer)

— Puxa! Eu perdi um dinheirão naquele cavalo. Eu nunca _____ _____ (apostar) tanto antes!
— É, foi uma loucura! E não vá dizer que foi falta de sorte. Eu _____ te _____ , não foi? (avisar)

— Gostou da caipirinha?
— Adorei! Eu nunca _____ _____ com vodca, só com pinga (= cachaça). (experimentar)

— Vocês já leram o último livro do Jorge Amado?
— Já. É ótimo. A gente nunca _____ _____ um livro dele antes. (ler)

NOTA: O verbo HAVER também é usado como auxiliar de tempos compostos. Eu havia chegado = Eu tinha chegado.

VI) Aprenda a usar essas expressões: NEM, ANDAR

— Foi tudo bem em São Paulo?
— Que nada! Tudo deu errado. Eu não consegui *nem* a passagem, *nem* o passaporte.
— Que azar, mas da próxima vez vai dar certo.
— Não sei não, eu *ando cansado* dessa burocracia. Sempre falta alguma coisa.

ANDAR + ADJETIVO:

Exemplos:

Ando cansado = *Estou* cansado *ultimamente*.
Ando tão bem disposto.
Ando preocupado.

ANDAR + VERBO (gerúndio):

Exemplos:

Ando trabalh*ando* muito = *Estou* trabalh*ando* muito *ultimamente*.
Ando beb*endo* muito.
Ando dorm*indo* tarde demais.

NEM

Nós não tomamos (*nem*) vinho *nem* cerveja.

Eles não entregaram o jornal (*nem*) ontem *nem* hoje.

— Ela comeu alguma coisa?
— Nada. Não quis comer (*nem*) a lasanha *nem* a sobremesa.
— *Nem* a sobremesa?! Puxa... Ela anda sem apetite, essa menina!

NOTA: Observe o uso de "nem" na expressão acima *"Nem* a sobremesa?"*.

Não vendo meu carro *nem* pelo dobro do que você ofereceu.

Nem morto eu peço desculpas pra ele.

— Ninguém gostou da peça...
— *Nem* o Cláudio? Ele adora teatro.
— *Nem* ele.

4. Forme sentenças usando *nem* ou *nem... nem*:

não ir ao clube	sábado	domingo
não convidar	Pedro	Tânia
ninguém falar mal *de*	você	dela
não saber	ler	escrever
não poder	entrar	sair

VII) SUJEITO INDETERMINADO

Observe os **exemplos:**

Dizem que a moda agora é bigode.
Viram João junto com seu pior inimigo.
Fazem doces deliciosos naquela padaria.
Estão precisando de engenheiros na IBM.
Pagam muito bem naquela firma.

5. Agora, transforme:

Modelo: *Alguém quebrou* a vidraça.
Quebraram a vidraça.

Alguém falou que o Ernesto está doente.

Alguém fez uma pergunta idiota e ele ficou furioso.

Alguém esvaziou o pneu do meu carro!

Alguém disse que a Márcia está grávida.

Alguém duvidou de sua honestidade.

VIII) PRONOMES

Você já sabe que quando o verbo termina em *-r* e é seguido dos pronomes *o(s)*, *a(s)*, mudamos para: *-lo(s)*, *-la(s)*.

Exemplo:

"Vou encontrar o João na cidade e depois vou levá-*lo* ao clube."

Agora, observe:

Eles atropelaram o meu cachorro e levaram-*no* ao veterinário.
Pegaram as malas e puseram-*nas* dentro do carro.

Quando o verbo termina em *m* e é seguido dos pronomes *o(s)*, *a(s)*, mudamos para: *no(s)*, *na(s)*.

Exercício

6. Complete:

Trouxeram a geladeira e deixaram-_____ na cozinha.

O gato deles fugiu ontem e eles procuraram-_____ por toda parte.

Márcia e Guilherme chegaram de trem. Seus amigos pegaram-_____ na estação ontem à noite.

As crianças estão cansadas. Levem-_____ para dormir.

IX) Mais PRONOMES

Ricardo *me* telefonou.	=	Ricardo telefonou *para mim*.
Ricardo *lhe* telefonou.	=	Ricardo telefonou *para você*.
Ricardo *lhe* telefonou.	=	Ricardo telefonou *para ele*.
Ricardo *lhe* telefonou.	=	Ricardo telefonou *para ela*.
Ricardo *nos* telefonou.	=	Ricardo telefonou *para nós*.
Ricardo *lhes* telefonou.	=	Ricardo telefonou *para vocês*.
Ricardo *lhes* telefonou.	=	Ricardo telefonou *para eles*.
Ricardo *lhes* telefonou.	=	Ricardo telefonou *para elas*.

Os dois modelos acima são gramaticalmente corretos, mas o pronome "*lhe*" é muito mais usado na linguagem escrita que na oral.

— De onde Ricardo telefonou para você?
— Ele *me* telefonou de Roma.
— O que ele *lhe* disse?
— Ele *me* disse que está adorando a viagem!
— Você sabe que o Ricardo ligou para a Cláudia também?
— Ah é? E o que ele disse para ela?
— Ele *lhe* disse que está morrendo de saudade dela.
— Será que ele vai trazer alguma coisa para nós?
— Acho que sim. Da outra vez ele *nos* trouxe muitos presentes.

Quadro dos pronomes que você já conhece:

Eu	me, mim, comigo
Você	o, a, lhe, se
Ele	o, lhe, se
Ela	a, lhe, se
Nós	nos, conosco
Vocês	os, as, lhes, se
Eles	os, lhes, se
Elas	as, lhes, se

X) Observe a REGÊNCIA DOS VERBOS antes de fazer o próximo exercício.

ESPERAR	alguém ou alguma coisa	
PEDIR	alguma coisa	*a* alguém (ou *para* alguém)
APRESENTAR	alguma coisa ou alguém	*a* alguém
ESCUTAR	alguém ou alguma coisa	
COMUNICAR	alguma coisa	*a* alguém
PERGUNTAR	alguma coisa	*a* alguém
RESPONDER	alguma coisa	*a* alguém
CHAMAR	alguém ou alguma coisa	
EXAMINAR	alguma coisa ou alguém	
ATENDER	alguma coisa ou alguém	

o(s) / a(s)
↓

Objeto direto, isto é, o complemento se liga ao verbo *diretamente*, sem preposição.

lhe(s)
↓

Objeto indireto, isto é, ligado ao verbo *indiretamente*, através da *preposição* (*a* alguém ou *para* alguém).

Exercício

7. Complete o texto abaixo com os pronomes adequados:

O presidente chegou apressado ao seu gabinete. Os ministros já _____ esperavam há meia hora para iniciar a reunião. O presidente cumprimentou todos os presentes e pediu _____ desculpas pelo atraso. Em seguida todos sentaram e a reunião começou.

Cada um dos ministros apresentou _____ um breve relato dos problemas da sua área. O presidente escutou _____ com muita atenção e fez algumas anotações. O ministro do trabalho, o último a falar, parecia tenso. Ele dirigiu-se ao presidente e comunicou _____ que a greve geral era iminente. O presidente perguntou _____ para quando estava marcada a greve. O ministro respondeu _____ que a greve estava prevista para a próxima quinta-feira.

A secretária estava na sala ao lado. O presidente chamou _____ e pediu _____ para trazer os documentos contendo as reivindicações dos trabalhadores. Então eles _____ examinaram e concluíram que era quase impossível atender _____ . O ambiente na sala tornou-se mais tenso. Ninguém sabia o que podia acontecer.

NOTA: Não é incrível a diferença entre a linguagem falada e a escrita? Compare o texto acima com "No posto de gasolina".

XI) DAQUI A

— Quando vai ser a reunião?
— Daqui a duas semanas.

— Quando você vai jantar?
— Daqui a pouco. (poucos minutos/pouco tempo)

NOTA: Você notou? A expressão "daqui a" só é usada com TEMPO FUTURO.

— Quando você vai viajar?
— Eu vou viajar daqui a vinte dias.

Exercício

8. Responda às questões usando a expressão "daqui a":

— Quando seu irmão vai se casar?
— _____ (20 dias)

— Ele vai se mudar quando, hem?
— _____ (três semanas)

— Quando vai começar o jogo?
— _____ (meia hora)

— Eles vão voltar logo?
— _____ (pouco tempo)

— Quando o projeto vai ficar pronto?
— _____ (um mês)

DIZER:	DITO	PAGAR:	PAGO
FAZER:	FEITO	GANHAR:	GANHO
ESCREVER:	ESCRITO	VIR:	VINDO
VER:	VISTO	ABRIR:	ABERTO
PÔR:	POSTO	COBRIR:	COBERTO
GASTAR:	GASTO		

Exercício

9. Complete com o pretérito mais-que-perfeito e depois pratique os diálogos:

— Cuidado com o buraco!
— Calma! Eu já _____ _____ ! (ver)

— O discurso do deputado foi violentíssimo!
— É verdade. Ele nunca _____ _____ um discurso tão duro antes. (fazer)

— Que clube lindo, você não acha?
— É, eu já conhecia. Eu _____ _____ aqui antes com o tio Antonio. (vir)

— Por que você não pôs gasolina? O posto vai fechar daqui a cinco minutos!
— Mas hoje de manhã você falou que já _____ _____ ! (pôr)
— Eu? Imagine! Eu não!

— Adivinhe quem eu vi na cidade (no centro) hoje?
— O Toninho!
— Ué, você sabia que ele _____ _____ da viagem? (voltar)
— É, sabia sim. A Laura já _____ me _____ . (dizer)

— Eu separei metade do meu salário pra gastar no Natal.
— E deu? (foi suficiente?)
— Que nada! Quando eu notei já _____ _____ quase tudo e ainda faltava muita coisa... (gastar)

— Por que você não trouxe os lápis de desenho que eu pedi?
— Eu passei na papelaria às nove horas e eles ainda não _____ _____ . (abrir).

— Afinal, quem pagou a conta?
— O Vitor...
— E você deixou?
— O que eu podia fazer? Quando eu chamei o garçom ele já _____ _____ . (pagar)

— Só hoje eu recebi carta do meu namorado.
— Nossa! Mas ele ainda não _____ _____ (escrever) nenhuma carta pra você?

— Você viu quem ganhou o "Oscar" de melhor ator?
— Vi. Que bom, né? Bem merecido! Eu não sabia que ele nunca _____ _____ antes. (ganhar)

XIII) O uso do Superlativo Relativo

Comparativo

Esta casa é maior que a minha.
Paula é mais alta que Renata.
Esse carro é mais caro que o outro.
Esses quadros são mais bonitos que os outros.

Superlativo Relativo

Esta casa é *a maior* do bairro.
Paula não é *a mais alta* de todas.
Esse carro é *o mais caro* da agência.
Esses quadros são *os mais bonitos que* eu já vi.

Superlativo Relativo:

o(s) mais _____ de

a(s) mais _____ de

Exemplo:
O mais bonito *de todos*.

o(s) mais _____ que + frase

a(s) mais _____ que + frase

Exemplo:
O mais bonito *que eu já vi*.
　　　　　　　que + frase

Lembre-se:

o maior	os maiores
a maior	as maiores
o menor	os menores
a menor	as menores
o melhor	os melhores
a melhor	as melhores
o pior	os piores
a pior	as piores

Exercício

10. Faça como o modelo:

> material - resistente - todos.
> Esse material é o mais resistente de todos.

quarto - quente - a casa. _____

proposta - conservadora - eu já vi. _____

copos - baratos - a loja. _____

moças - chatas - o clube. _____

livro - interessante - nós já lemos. _____

jogadores - bons - o time. _____

filme - chato - o festival. _____

equipamento - ruim - nós já compramos. _____

programa - divertido - a televisão. _____

engenheiro - competente - o departamento. _____

NOTA:
A forma *"o menos..."* também é possível, mas é pouco usada: Essa proposta é *a menos* conservadora que eu já vi.

XIV) SUPERLATIVO

Relativo:
Esta loja é *a mais cara* da cidade.

Absoluto:
Esta loja é *muito cara*.
Esta loja é *caríssima*.

Observe os grupos de Superlativo Absoluto:

muito caro	—	caríssimo
muito forte	—	fortíssimo
muito chique	—	chiquíssimo
muito inteligente	—	inteligentíssimo
muito fácil	—	facílimo
muito difícil	—	dificílimo
muito bom	—	ótimo
muito ruim	—	péssimo
muito amável	—	amabilíssimo
muito confortável	—	confortabilíssimo
muito agradável	—	agradabilíssimo

Exercício

11. Faça a transformação:

a) Você deve ler esse artigo. É *muito interessante*.
b) Não consigo empurrar essa mesa para o canto da sala. É *muito pesada*.
c) O assunto é interessante, mas o professor é *muito chato*.
d) O bigode dele é *muito chique*.
e) Ninguém comprava naquela loja porque lá é *muito caro*.
f) Esse bolo é delicioso e além disso é *muito fácil* de fazer.
g) Que delícia de sapato. É *muito confortável*.
h) O jantar foi caro, mas o restaurante é *muito bom*.
i) Sinto muito, mas vamos ter que cancelar o passeio. O tempo está *muito ruim*.
j) Hoje à noite vai passar um filme *muito bom* no canal sete.

DICA: EVITE "TALVEZ"...
USE "EU ACHO QUE..."
Talvez + subjuntivo = eu acho que + indicativo

XV) Verbos Irregulares no Presente do Indicativo

CABER	VALER	PASSEAR	ODIAR
ca*b*o	va*lh*o	pass*ei*o	od*ei*o
cabe	vale	pass*ei*a	od*ei*a
cabemos	valemos	passeamos	odiamos
cabem	valem	pass*ei*am	od*ei*am

NOTA: No Pretérito perfeito: caber = saber
Eu coube.

— Nossa! Como eu engordei! Não caibo mais nesse vestido...

— Estou arrasado. Sabe o que ele disse? Que eu não valho nem o feijão que eu como!

— Eu sempre passeio nesse parque. É tão tranqüilo!

— Ele só se penteia uma vez por dia.

— Eu odeio fofocas. E você?
— Eu também. Eu acho que não vale a pena falar o que não é da nossa conta.

— Você acha que foi justo o que ele fez?
— Bem, não cabe a mim fazer julgamentos. Cada um sabe de si.

— Por que eles se odeiam tanto?
— Ah! é um problema antigo. Eles nunca vão se entender.

— Ele ganhou na loteria e não cabe em si de contente!

NOTA:

Caber *em si* — Ele não *cabe em si* = *nele mesmo*
Você não *cabe em si* = *em você mesmo*
Eu não caibo em mim.

Usando a preposição *com*, vamos ter "consigo":
Ele falou *consigo* mesmo. (ele falou *com ele* mesmo)
Você está falando *consigo* mesma? (com *você* mesma)

Esses pronomes (si, consigo) são pouco usados na linguagem falada.

Agora temos: me, mim, comigo.
o, a, lhe, se, si, consigo.

Exercício

12. Os verbos terminados em -*EAR* seguem a mesma conjugação de PASSEAR. Conjugue o verbo PENTEAR-SE.

TEXTO

O PESSOAL

Rubem Braga

Chega o carteiro e me deixa uma carta. Quando se vai afastando eu o chamo: a carta não é para mim. Aqui não mora ninguém com este nome, explico-lhe. Ele guarda o envelope e coça a cabeça um instante, pensativo:

— O senhor pode me dizer uma coisa? Por que é que agora há tanta carta com endereço errado? Antigamente isso acontecia uma vez ou outra. Agora não sei o que houve...

E abana a cabeça, em um gesto de censura para a humanidade que não se encontra mais, que envia mensagens inúteis para endereços errados.

Sugiro-lhe que a cidade cresce muito depressa, que há edifícios onde havia casinhas, as pessoas se mudam mais que antigamente. Ele passa o lenço pela testa suada.

— É, isso é verdade... Mas reparando bem o senhor vê que o pessoal anda muito desorientado...

E se foi com seu maço de cartas, abanando a cabeça. Fiquei na janela, olhando a rua à-toa numa tristeza indefinível. Um amigo me telefona, pergunta como vão as coisas. E não consigo resistir:

— Vão bem, mas o pessoal anda muito desorientado.
(O que aliás é verdade.)

Exercício

13. Depois de entender bem o texto, reconte-o no passado conservando os diálogos e fazendo adaptações necessárias. Veja o modelo:

"Chegou o carteiro e me deixou uma carta.......... Ali não morava ninguém............. E se foi com seu maço de cartas........."

NOTA: O Pretérito imperfeito pode ser usado no lugar do Passado contínuo. Compare os exemplos:

1. a) As crianças *estavam dormindo* quando a mãe chegou.
   b) As crianças *dormiam* quando a mãe chegou.

2. a) Enquanto eu *estava me divertindo* na festa, os ladrões *estavam roubando* minha casa.
   b) Enquanto *me divertia* na festa, os ladrões *roubavam* minha casa.

XVI) Uso das preposições POR e PARA

PARA: indica basicamente *META*, isto é, propósito, direção, endereçamento, objetivo.

Exemplos:
Nós demos uma carona para seu primo.
Estou economizando para poder viajar.
Esse presente é para você.
Tenho planos para o verão.
Eles foram para Maceió para visitar os tios.
Eu reservei três manhãs para fazer ginástica.
Para chegar lá, tivemos de tomar dois ônibus.

POR: Usos mais freqüentes: noção de causa, através de, no lugar de, modo, preço, em nome de, tempo. É usado também na voz passiva.

Exemplos:
Ele matou por amor.
Eu nunca tinha passado por essa rua.
Eu soube da notícia *pelo* João. (*por* + *o João*)
Como eu estava rouco, ele falou por mim na reunião.
Escreva seu nome por extenso.
Eu comprei esses sapatos por trezentos cruzados novos.
Juro por Deus que não fui eu.
A exposição foi visitada por milhares de pessoas.
Vou ficar no Rio por três semanas.

> **NOTA:** No sentido de duração de tempo "por" geralmente é omitido:
> Vou ficar no Rio três semanas.
> Eu estudei (por) duas horas hoje de manhã.

Exercício

14. Complete com POR ou PARA:

Mário mandou uma goiabada _____ seu filho que mora na Europa _____ um amigo que viajou ontem.
Eu não sei, mas parece que ele pagou um milhão _____ o carro.
Eu demorei uns dois meses _____ conseguir minha carteira de identidade.
Ele foi admitido _____ falar alemão muito bem.
Nós nunca tínhamos vindo _____ esse hotel.
Vocês têm algum programa _____ o sábado?
Nós lhe enviamos a proposta _____ escrito.
Não estou apenas falando em meu nome. Estou aqui falando _____ todos aqueles que podem perder seus empregos.
Ele se esforçou muito _____ passar no concurso.
O projeto vai ser apresentado _____ a diretora de *marketing*.
Nós queríamos ir ao cinema e chamamos uma *baby-sitter* _____ tomar conta das crianças.
Eu desejo um feliz Natal _____ todos vocês.
Que bagunça! Nem sei _____ onde começar a faxina.
_____ onde vocês vão viajar na lua-de-mel?
Ele viajou e não trouxe nada _____ mim.

RESUMO

Situação: No posto de gasolina.
Texto : O pessoal (Rubem Braga)

GRAMÁTICA

1) Diminutivo e aumentativo.
2) Particípios regulares e irregulares.
3) Formação do pretérito mais-que-perfeito composto.
4) Pronomes oblíquos: mim, comigo
                        lhe, si, consigo.
5) Variantes dos pronomes oblíquos o(s), a(s); no(s), na(s).
6) Sujeito indeterminado.
7) Superlativo relativo e absoluto.
8) Verbos CABER, VALER, ODIAR e PASSEAR, no Presente do Indicativo.
9) Uso das preposições *de, por e para*.

EXPRESSÕES

dar (uma olhada)
    (uma limpada, etc)

dar $ (deu Cem Cruzeiros Reais)
dar (= ser suficiente)

tanto faz

daqui a

uma loucura

nem... nem

andar (cansado/trabalhando)

caber em si

valer a pena

não ser da conta de (de alguém)

tomar conta

que bagunça!

Unidade X

Ouro Preto

TEXTO

UM POUCO DE BRASIL - I

Gramado

Foz do Iguaçu

Celso e Rute acabaram de voltar de uma viagem maravilhosa. Eles convidaram alguns amigos para ver os *slides* da viagem:

Celso: Todo mundo pronto? Rute, apague a luz! Bom, nós começamos nossa viagem pelas Cataratas do Iguaçu.
Essa é a Garganta do Diabo, a parte mais alta e mais forte das cataratas.
Mário: Puxa, é impressionante! Olha o arco-íris! Que lindo!
Celso: As cataratas são a grande atração, mas como a gente já estava na fronteira, aproveitou para conhecer a Argentina e o Paraguai.
Rute: Depois nós fomos para Gramado, no Rio Grande do Sul.
Esse é um casal amigo que nos convidou para um churrasco típico gaúcho. Tinha um monte de gente lá, e todo mundo usando "tu":
"Tu gostaste de Gramado? Esta cerveja é para ti. Está geladinha. Tu moras em São Paulo? Barbaridade, tchê!"
Vera: Você está parecendo uma gaúcha! Seu sotaque está ótimo!
Celso: O hotel onde nós ficamos...
Vera: Parece um chalé suíço.
Celso: É, a cidade toda é assim. Olha só quantas hortênsias!
Mário: E o chocolate de lá, é bom mesmo?
Celso: Você não acredita! Uma delícia! E os vinhos da região então, nem se fala! Também

pudera, com tantos imigrantes italianos e alemães, o vinho tinha que ser ótimo.
Rute: De lá fomos para Blumenau em Santa Catarina. A influência alemã na cidade é marcante. Nós até ouvimos pessoas falando alemão nas lojas.
Vera: Vocês compraram alguns cristais?
Celso: Alguns? A Rute queria comprar todos os cristais que ela via.
Rute: Que exagero, Celso! Nem tanto... Bom gente, que tal fazer uma pausa para um cafezinho?
Mário: Boa idéia!

I) Expressão: *Acabar de*

— Eu vi tudo!
— Como foi que aconteceu?
— Bom, eu *tinha acabado de* estacionar o carro, ouvi um barulho, daí...

— Nossa, que cara horrível!
— É que eu *acabei de* sair do dentista.

— Atenção, senhoras e senhores! O presidente *acaba de* anunciar que as eleições vão ser realizadas ainda esse ano.

— Você tem alguma notícia do Alfredo?
— Tenho. Aliás, eu *acabei de* receber um telefonema dele.

Resumindo: Acabar de + Infinitivo — I have just...(ed) — Je viens de...(+ infinitif)

Exercícios

1. Responda às questões usando *acabar de*:

O João já chegou? Já, ele _____

Você regou as plantas? _____

Onde está o Zezinho? (sair) _____

Onde está o doce que eu deixei aqui? (comer) _____

Por que ela não quis jantar com a gente? _____

II) Expressões: *Algum ou Qualquer?*

— Sérgio, você quer comer alguma coisa?
— Quero, estou morto de fome.
— O que você prefere?
— Tanto faz, *qualquer* coisa.

— Hoje é meu aniversário de casamento. Preciso comprar *alguma* coisa especial para minha mulher.
— Quantos anos?
— Três.
— Só? Então *qualquer* coisa serve.
— Ah é? Vá dizer isso a ela...

2. Preencha com *algum/alguma* ou *qualquer*:

— Você podia me indicar _____ hotel perto do aeroporto?

— Eu já não agüento mais essa situação.
— É melhor você falar com o diretor, senão _____ hora você acaba tendo um enfarte.

— Por que você não expõe seu problema para alguém?
— Porque não adianta falar com _____ pessoa. Só o presidente pode me ajudar.

— Todos os produtos dessa loja são bons. Você pode escolher _____ um.

— Você precisa dar um pulinho (uma passadinha) lá em casa para ver a reforma que eu fiz.
— Tá legal. A que horas eu posso passar lá?
— _____ hora. Nós vamos ficar em casa o dia todo.

Diálogos Dirigidos

Complete usando o tempo adequado:

Presente simples
Presente contínuo
Passado contínuo
Pretérito imperfeito

Pretérito perfeito
Pretérito mais-que-perfeito
Futuro com o verbo IR

1) — Você _____ (ir) ontem à feijoada na casa do Toninho?
— _____ (ir) e _____ (comer) pra burro.
(pra burro = muito)

2) — Por que você não _____ (trazer) os pãezinhos que eu _____ (pedir)?
— Porque, quando eu _____ (passar) na padaria, os pãezinhos já _____ (acabar).

3) — Você _____ (estudar) na USP (Universidade de São Paulo)?
— _____ (estudar).
— O que você _____ (fazer)?
— Arquitetura.

4) — Oi, João! Que coincidência! Você também _____ (ser) sócio desse clube?
— Eu _____ (ser), mas não _____ (vir) muito aqui.
— Ah, por isso eu nunca _____ (ver) você aqui antes.

5) — Você _____ (ter) fósforos?
— Eu _____ (ter). Eles _____ (estar) em cima do fogão.

6) — Que tal ir jantar numa lanchonete?
— De jeito nenhum. Eu _____ (odiar) sanduíche.
— Então nós _____ (poder) comer uma pizza.

7) — A inflação do mês passado _____ (ser) de mais de 20%.
— É, eu _____ (andar) muito preocupado com a situação do país.

8) — (sujeito indeterminado) _____ (dizer) que o Banco do Brasil _____ (vender) ações por um preço ótimo.
— Eu _____ (saber). Eu _____ (ir) lá, mas eles já _____ (vender) tudo.

9) — Onde você _____ (nascer)?
— No Rio. Naquela época meu pai _____ (ser) professor e _____ (trabalhar) na Universidade Federal do Rio.
— Você _____ (ir) muito à praia?
— Não. Só de vez em quando.

10) — (sem sujeito) _____ (fazer) um mês que ele _____ (estar) internado no hospital.
— Nossa! Coitado! E ele já _____ (melhorar)?
— Já, mas só ontem ele _____ (poder) receber visitas.

11) — Vocês _____ (ver) o que _____ (acontecer) na fábrica ontem?
— Não, ninguém nos _____ (dizer) nada.
— A chuva _____ (derrubar) o telhado do armazém e _____ (molhar) todo o estoque.

12) — A Márcia já _____ (ter) bebê?
— Já. Ela _____ (querer) um menino, mas _____ (vir) uma menina.

13) E a festa? _____ (estar) boa?
— _____ (estar) ótima! Só _____ (faltar) você. Por que você não _____ (ir)?
— Porque eu não _____ (ter) com quem deixar as crianças.

14) — Na época em que a gente _____ (morar) no prédio, eles ainda não _____ (fazer) a piscina.
— Então, onde vocês _____ (nadar)?
— No clube.

15) — Vocês já _____ (estar) no Japão?
— Já. Duas vezes.

16) — Eu _____ (insistir) para ele contar o que _____ (acontecer).
— E ele _____ (contar)?
— Que nada! Ele não _____ (querer) abrir a boca.

17) — O José _____ (mandar) avisar que ele não _____ (vir) mais.
— Não _____ (acreditar)! No dia do meu aniversário?! Ele não _____ (poder) ter feito isso comigo!

18) — Você _____ (andar) sumido!
—É verdade. Eu _____ (andar) trabalhando muito, mas graças a Deus _____ (entrar) em férias amanhã.

19) — Você já _____ (sair)? Ainda _____ (ser) cedo.
— Eu tenho que ir. Eu _____ (precisar) tomar conta das crianças porque meu marido _____ (ter) que trabalhar hoje à noite.

20) — Eu _____ (saber) que você _____ (viajar) na semana que vem.
— Pois é. Eu _____ (ir) para o sul. Você _____ (querer) alguma coisa de lá?

21) — Que droga! O pneu do meu carro _____ (furar) de novo! É a segunda vez essa semana!
— Pudera! Esse pneu _____ (estar) completamente careca. Você _____ (precisar) comprar outro.

22) — Você _____ (saber) o que _____ (acontecer) com a Lurdes?
— Não, o que?
— Ela _____ (divorciar-se).
— Já? Mas ela _____ (casar-se) outro dia mesmo!

Exercício

3. Depois de corrigidos, pratique bastante esses diálogos. Grande parte das estruturas e expressões que você aprendeu estão aí! Você teve dificuldades com os verbos QUERER, PODER e SABER ? Veja os comentários a seguir.

III) Pretérito perfeito ou imperfeito?

SABER   PODER   QUERER

Esses verbos também têm uso peculiar no passado. Você vai se familiarizar com eles gradativamente. Veja algumas frases:

1) Eu não fiz os exercícios porque não *sabia*.

2) Ela não *quis* ajuda. Disse que *podia* fazer tudo sozinha.

3) Nós fomos ao cinema com chuva e tudo, porque a gente *queria* muito ver aquele filme.

4) O marido dela não *sabia* de nada. No momento em que ele *soube* que ela estava grávida, pulou de alegria.

5) Eu era o único que *sabia* dos problemas dele. Quando os outros *souberam*, ficaram chocados.

6) Ontem eu *queria* ir à sua casa, mas não *pude*, porque o carro quebrou.

7) Ontem eu *quis* ir à sua casa, mas não *podia*, porque não tinha com quem deixar as crianças.

NOTA:

Observe a diferença entre 6 e 7.
Na frase 6 a carga maior de envolvimento está no fato de *querer*, usado no imperfeito. A informação "não pude" é mais objetiva (pretérito perfeito).
Na frase 7 a preocupação maior é mostrar a impossibilidade de *ir* (não podia), enquanto "querer" informa um fato mais objetivo, uma determinação maior.

Você ainda pode dizer:

8) Eu queria ir à sua casa, mas não podia...

9) Eu quis ir à sua casa, mas não pude...

Além disso, devemos considerar que a entonação tem um papel importante no efeito daquilo que, na teoria, chamamos de maior ou menor envolvimento.

UM POUCO DE BRASIL - II

Ouro Preto

Congonhas do Campo

Rute: Ninguém quer mais café? Não? Então vamos continuar.

Celso: Do sul, começamos a subir em direção ao norte. Paramos em Minas Gerais para visitar as cidades históricas de Ouro Preto, Sabará, Mariana e Congonhas do Campo.

Rute: Essa é a parte central de Ouro Preto.

Vera: Nossa! Como as ruas são estreitas!

Rute: É, andando por essas ruas, parecia que a gente tinha voltado no tempo. Reparem no calçamento, nas casas coloniais....

Mário: Vocês visitaram muitas igrejas?

Celso: Visitamos. Eu adoro a arquitetura barroca. É impressionante a riqueza das igrejas: revestimento em ouro, castiçais de prata maciça...

Rute: Ah, essas são as famosas estátuas dos doze apóstolos feitas por Aleijadinho, em Congonhas do Campo.

Celso: De Congonhas nós fomos para Pirapora visitar o Tio Miguel, que tem uma fábrica de queijos.

Vera: Hum!... Eu adoro um queijo de Minas.

Rute: Pois é... Queijo, doce de leite, broa de milho, pão de queijo, muita carne de porco... ficamos lá três dias e engordamos uns dois quilos.

Celso: Agora, vejam o contraste: Brasília. A Catedral, o Palácio da Alvorada, o Congresso...

Mário: Espera aí, Celso! Mais devagar, eu nunca estive lá.

Celso: Não? Você precisa ir. Vale a pena. Não só pela arquitetura moderna, mas também por toda a concepção revolucionária da cidade: seu traçado em forma de avião, as superquadras, as

divisões em setores. Esse, por exemplo, é o setor das embaixadas. Mas tem também o setor comercial, o dos hotéis...

Rute: Agora, vou falar uma coisa: sem carro, não dá. Sem carro tudo fica muito difícil; as distâncias são enormes.

Vera: Vocês viram o presidente?

Rute: Que nada. Era feriado e todo mundo tinha viajado.

Mário: Nossa, como já é tarde! Vera, nós não combinamos com a *baby-sitter* de voltar às onze horas?

Vera: Meu Deus! Como o tempo voou!

Celso: Bom, então vamos deixar o final para outro dia.

Mário: Tá bom. Combinado. Tchau e obrigado, hem?

Rute: Tchau, gente. Um beijo nas crianças.

IV) Observe o uso do Futuro do Presente (usado na linguagem formal)

Venha visitar o Parque dos Eucaliptos. Você descobrirá um novo conceito de morar bem. Você e sua família *respirarão* o ar puro das montanhas. Seus filhos *poderão* brincar livremente com toda a segurança. A infra-estrutura de um clube *estará* à sua disposição. *Teremos* quadras de esporte, piscina, sauna, bar, cabeleireiro; enfim, todos os seus sonhos se *realizarão*.

Observe os verbos terminados em *-AR, -ER, -IR*.

ANDAR	- *Andarei*		ANDAR:	And*arei*
VENDER	- *Venderei*			And*ará*
SAIR	- *Sairei*			And*aremos*
				And*arão*

Exercícios

4. Agora, complete:

VENDER: Venderei   SAIR: _____

_____   _____

_____   _____

_____   _____

5. Passe do futuro com o verbo IR para o futuro do presente:

a) O avião *vai chegar* ao seu destino às nove horas. Nós *vamos alugar* um carro no aeroporto, e em seguida *vamos* para o hotel.

b) Programa do dia em Salvador: Hoje *vamos visitar* um terreiro de Candomblé. *Vamos assistir* a um culto e depois *vamos ouvir* uma palestra sobre a influência das religiões africanas no Brasil. Dessa forma vocês *vão entender* a diferença entre Candomblé, Umbanda e Macumba.

c) O Congresso *vai se reunir* na próxima semana e os deputados e senadores *vão votar* a proposta de mudança no orçamento do Executivo. *Vai ser* uma sessão demorada porque se trata de uma questão polêmica. Na opinião do líder do governo, o Congresso *vai aprovar* a proposta.

V) Futuro do Pretérito

[Uso I] - Observe a relação:

FUTURO DO PRESENTE

presente	futuro
quinta-feira	sexta-feira

na quinta-feira: — Eu prometo que *levarei* você ao clube.

na sexta-feira: — Você prometeu que me *levaria* ao clube e não apareceu.

> Então, o *Futuro do Pretérito* — é um futuro em relação a um tempo *passado* (ou pretérito).

Observe os verbos terminados em *-AR, -ER, -IR*:

ANDAR	- *Andaria*	**ANDAR:**	And*aria*
VENDER	- *Venderia*		And*aria*
SAIR	- *Sairia*		And*aríamos*
			And*ariam*

6. Agora, complete:　　　VENDER: _____　　　SAIR: _____

_____　　_____

_____　　_____

_____　　_____

Agora, veja este exemplo:

Um político na campanha eleitoral:
— Eu prometo que *asfaltarei* o Jardim Primavera e *ampliarei* a rede de água e esgoto. *Providenciarei* iluminação e policiamento em todo o bairro.

O povo, quatro anos depois:
— Assim não dá! Na campanha ele prometeu que *asfaltaria* o nosso bairro! Afirmou que *ampliaria* a rede de água e esgoto. Falou que *providenciaria* iluminação e policiamento. E até agora... Tudo na mesma! Eu sabia que ele não *cumpriria* as suas promessas!

NOTA: Todos os seus sonhos *realizar-se-ão/realizar-se-iam*. Os Futuros do presente e do pretérito são os únicos tempos que aceitam os pronomes oblíquos no seu interior. Você não precisa aprender esta forma, que é menos usada. Basta saber identificá-la.

VI) Verbos Irregulares no Futuro do Presente e do Pretérito

FAZER		**DIZER**		**TRAZER**	
farei	- *faria*	*direi*	- *diria*	*trarei*	- *traria*
fará	- *faria*	*dirá*	- *diria*	*trará*	- *traria*
faremos	- *faríamos*	*diremos*	- *diríamos*	*traremos*	- *traríamos*
farão	- *fariam*	*dirão*	- *diriam*	*trarão*	- *trariam*

7. Complete com os verbos no Futuro do presente:

Eu concordo que _____ (ser) muito difícil.

Os diretores compreendem que a instalação da fábrica _____ (causar) alguns problemas para a região.

Ela sabe que você _____ (fazer) o possível.

Eu garanto que _____ (entregar) os móveis à tarde.

Acho que eles _____ (dizer) a verdade.

Nós calculamos que o equipamento _____ (custar) mais de dois milhões.

Eu afirmo que não _____ (haver) aumento de preços.

Eu tenho certeza que ele _____ (trazer) a família.

8. Faça a transformação das frases do exercício anterior de acordo com o modelo:

a) Eu *concordei* que *seria* muito difícil.

Observação:

Observe a relação:

Eu prometo que *farei*...
Eu prometo que *vou fazer*...

Eu prometi que *faria*...
Eu prometi que *ia fazer*...

Eu concordo que *será*...
Eu concordo que *vai ser*...

Eu concordei que *seria*...
Eu concordei que *ia ser*...

Ela sabe que *fará*...
Ela sabe que *vai fazer*...

Ela sabia que *faria*...
Ela sabia que *ia fazer*...

9. Retome os textos do político que prometia tudo e reescreva-os usando as formas dos futuros com o verbo IR (vou fazer/ia fazer).

— Eu prometo que *vou asfaltar*...

— Assim não dá! Na campanha ele prometeu que *ia asfaltar*...

10. Retome os exercícios 7 e 8 (de *a* a *h*) e faça a mesma transformação:

a) Eu concordo que *vai ser*...
b) Eu concordei que *ia ser*...

MÚSICA
Você só... mente

Noel Rosa/Hélio Rosa
Canta: Grupo Rumo

Não espero mais você
Pois você não aparece
Creio que você se esquece
Das promessas que me faz
E depois vem dar desculpas
Inocentes e banais
É porque você bem sabe
Que em você desculpo
Muitas coisas mais

O que sei somente
É que você é um ente
Que mente inconscientemente
Mas finalmente
Não sei porque
Eu gosto imensamente
De você

Invariavelmente
Sem ter o menor motivo
Em um tom de voz altivo
Você quando fala mente
mesmo involuntariamente
Faço cara de inocente
Pois sua maior mentira
É dizer à gente
Que você não mente

VII) FAMÍLIAS DE PALAVRAS

Observe e complete:

Substantivo	Adjetivo	Advérbio
a loucura	louco/louca	loucamente
o calor	caloroso/calorosa	calorosamente
o ano	anual	anualmente
o mês	mensal	mensalmente
a quinzena	quinzenal	quinzenalmente
a semana	semanal	semanalmente
a força	forte	fortemente
a malícia	malicioso/maliciosa	maliciosamente
a parte	parcial	parcialmente
a atenção	atento/atenta	_____
a delicadeza	delicado/delicada	_____
a calma	calmo/calma	_____
a simplicidade	simples	_____
o silêncio	silencioso/_____	_____
a felicidade	_____	felizmente
a probabilidade	provável	_____
o fim	final	_____

Observe as frases abaixo:

1. Ele trabalha muito bem. Faz tudo *cuidadosa*mente.
   Ele trabalha muito bem. Faz tudo *com cuidado*.

2. *Brevemente* vão inaugurar um supermercado no bairro.
   Em breve vão inaugurar um supermercado no bairro.

Advérbio	Locução Adverbial
cuidadosamente	com cuidado
brevemente	em breve
geralmente	em geral
apressadamente	às pressas
manualmente	à mão
certamente	com certeza
violentamente	com _____
carinhosamente	com _____
_____	com naturalidade
_____	de imediato
_____	com rapidez

Alguns são mais usados na forma de locução: de propósito, de repente, por acaso, ao contrário.
Outros são mais usados na forma de advérbio: principalmente, realmente, atualmente, antigamente, normalmente, obrigatoriamente, evidentemente, recentemente.

Veja mais alguns exemplos:

— Você vai adorar esse disco. *Principalmente* do lado B.

— Você assiste a muitas novelas?
— *Antigamente* eu assistia, mas *atualmente* eu só vejo as notícias.

— Parecia que nada tinha acontecido. Eu o encontrei em casa jantando *normalmente*...

— Você vai ter que passar *obrigatoriamente* por uma estrada de terra, já que a rodovia principal está em obras.

— O livro é ótimo. *Realmente* vale a pena lê-lo.

— *Por acaso* você sabe onde tem uma farmácia?

— Ele chegou *de repente*, e *evidentemente* todos ficaram surpresos.
— *Ao contrário* do que eu pensava, ele não fez isso *de propósito*.

— *Aparentemente* não houve nenhuma fratura, entretanto é melhor fazer uma radiografia (raio-X).

Exercícios

11. Encaixe:

com certeza
felizmente
principalmente

imediatamente
à mão
provavelmente

nas frases abaixo:

— Conseguiu fazer tudo?
— Ainda não, mas _____ amanhã estará **tudo** pronto.

— Como são lindas as toalhas de renda do Nordeste!
— É, imagine que trabalho fazer tudo aquilo _____ !

— Todos devem participar da reunião, _____ aqueles ligados à area de produção.

— Você já fechou o negócio?
— Ainda não. O dono da casa está me enrolando.
— Ah, então _____ ele está querendo aumentar o preço.

— Dr. Percival! Dr. Percival! O dr. Jairo está pedindo para o senhor ir _____ à UTI.
— Calma, calma... Já *vou indo* (ir indo = estar a caminho).

— Você já recebeu notícias do seu filho?
— _____ já. Meu irmão acabou de telefonar dizendo que ele já *vem vindo* (vir vindo = estar a caminho).

12. Forme frases usando advérbios e locuções adverbiais.

TEXTO

UM POUCO DE BRASIL - III

Maceió - Ponta Verde

Salvador

— Alô?
— De onde falam?
— 883-7780.
— Vera? Aqui é a Rute. Tudo bem?
— Oi Rute, tudo bem. E você?
— Tudo certo. Estou telefonando para convidar você, o Mário e as crianças para tomar um lanche aqui em casa e terminar de ver os *slides*.
— Ótimo! Quando?
— Hoje mesmo, lá pelas sete horas. Vocês podem?
— Podemos, sim. Tá combinado.
— Então, até logo mais.

[Depois do lanche...]

Vera: Rute, o acarajé está uma delícia! Foi na Bahia que você aprendeu a fazer?
Rute: Foi. Você precisa conhecer os outros pratos típicos baianos.
Vera: São realmente muito apimentados?
Rute: São. Pimenta, leite de coco e azeite de dendê são muito usados, afinal, são pratos de origem africana. Aliás, eles estão cultivando a tradição africana cada vez mais na Bahia. Nós observamos isso também na música, nas roupas coloridas e nos cabelos "afro".
Mário: Por que será que a Bahia tem mais ligação com a África que qualquer outro estado?

Celso: Bem, Salvador foi a primeira capital do Brasil, e por isso recebeu muitos negros. Conserva até hoje um pelourinho, onde era feita a punição pública dos escravos.
Rute: Esses são *slides* da área histórica que fica na parte alta da cidade.
Vera: Ah, essa não é a igreja de São Francisco?
Celso: É. Agora olhem só o interior da igreja! Todo revestido em ouro! Esse é o famoso elevador Lacerda, que liga a parte alta à parte baixa da cidade. Lá embaixo, na beira do mar, está o Mercado Modelo, onde compramos a lembrancinha que demos para vocês.
Mário: Vocês não foram à praia? Dizem que Salvador tem praias lindas!
Celso: O tempo não estava muito bom. Mas em compensação, em Maceió, não fizemos outra coisa.
Vera: Puxa! Mas vocês viajaram, hem?
Celso: É. Foram trinta dias inesquecíveis. Vejam que maravilha as praias de Maceió: areia branquinha, coqueiros, jangadas... Um paraíso!
Rute: Ah, gente, nós fizemos um passeio de jangada!... Foi bárbaro! Paramos num banco de areia no meio do mar e ficamos lá, tomando caipirinha, comendo espetinho de camarão...
Vera: Hum... Dá até água na boca! Na próxima vez, nós queremos ir com vocês.

VIII) Futuro do Pretérito (Condicional)

[Uso II]   Você já aprendeu, no **Uso I**, que o Futuro do pretérito representa um futuro em relação a um tempo passado. Agora observe essas frases:

Eu acho que eu *teria* coragem de ir até a lua.

Você *usaria* um biquíni fio-dental?

A senhora *poderia* dar um recado a ele? (A senhora *podia*...? forma coloquial que você aprendeu na *Unidade III*.)

Eu *acompanharia* você até o aeroporto, mas tenho uma reunião às três horas.

Eu *votaria* nele para presidente, mas ele não vai ser candidato.

E agora, cuidado:

Eu *levaria* você ao clube, *se* tivesse tempo. (subjuntivo)

"*SE*" nas frases condicionais pede o subjuntivo, então, por enquanto, vamos *evitar* o seu uso.

Podemos dizer esta frase de uma outra maneira:
Eu levaria você ao clube, mas não tenho tempo.

Exercícios

13. Dê opinião usando o condicional:
    Exemplo: Que tal levá-la para jantar fora?
    (ela adorar) Eu acho que ela adoraria.

    Que tal acabar com as armas atômicas?
    (ser impossível) _____

    Que tal construir uma casa na praia?
    (dar muita dor de cabeça) _____

    Que tal oferecer um cargo para ele em Recife?
    (a esposa não concordar) _____

    Que tal fazer uma festa surpresa?
    (eles desconfiar) _____

    O que você acha de levá-lo para uma estação de águas?
    (fazer bem a ele) _____

14. Faça frases de acordo com o modelo:

    eu ir ao cinema/estar gripado
    Eu iria ao cinema com você, mas estou gripado.

    1 - ele ajudar/não ter tempo.
    2 - o Brasil pagar a dívida/os juros ser altos.
    3 - o Carlinhos ser um bom aluno/a professora não o incentivar.
    4 - nós trazer um computador/ser ilegal.
    5 - eles continuar com a loja/ela só dar prejuízo.

IX) DISCURSO DIRETO

DISCURSO INDIRETO

Com frases afirmativas ou negativas

Ele disse:
— Eu não tenho dinheiro.

(imediatamente) Ele disse que não *tem* dinheiro.

ou

(depois de algum tempo) Ele disse que não *tinha* dinheiro.

Ela falou:
— Já fiz todo o trabalho.

Ela falou que já *fez* todo o trabalho.
Ela falou que já *tinha feito* todo o trabalho.

Eu confirmo:
— Não haverá nenhum problema.

Eu confirmo que não haverá nenhum problema.

Eu confirmei:
— Não haverá nenhum problema.

Eu confirmei que não haverá nenhum problema.
Eu confirmei que não haveria nenhum problema.

Com frases interrogativas

a) Com pronomes interrogativos:

Ele perguntou:
— Onde você pôs minha carteira?

Ele perguntou onde eu *pus/tinha posto* sua carteira.

Eu perguntei:
— Quanto custa o ar condicionado?

Eu perguntei quanto *custa/custava* o ar condicionado.

b) Sem pronomes interrogativos:

O Juiz perguntou:
— Você já viu esse homem?

O Juiz perguntou *se* eu já tinha visto aquele homem.

Algumas pessoas perguntaram:
— Eles vão participar do congresso?

Perguntaram *se* eles vão/iam participar do congresso.

Com frases imperativas

A mãe pediu:
— Não faça barulho, meu filho.

A mãe pediu *para o filho* não fazer barulho.
A mãe pediu *ao filho para* ele não fazer barulho.

Ela falou:
— Cale a boca, menino!

Ela falou *para o menino* calar a boca.
Ela falou *ao menino para* ele calar a boca.

15. Passe para o discurso indireto:

a) — O seqüestrador afirmou:
 — Eu não tenho medo da morte.

b) — O chefe de polícia respondeu:
 — Na hora H ele vai ceder.

c) — Rute perguntou:
 — Quem quer mais café?

d) — Mário nos perguntou:
 — Vocês visitaram muitas igrejas em Minas?

e) — O capitão entrou na sala e gritou para o soldado:
 — Saia daqui!

f) — Eles perguntaram:
 — Vocês estão gostando da festa?

g) — Sérgio contou:
 — A viagem foi maravilhosa e o Rio de Janeiro é uma cidade linda.

h) — Eu perguntei ao Sérgio:
 — Você visitou o Corcovado e o Pão de Açúcar?

i) — Ele respondeu:
 — Não visitei nenhum ponto turístico porque fui ao Rio a negócios.

j) — Eu perguntei:
 — Quantos gerentes participaram da reunião ontem?

16. Exercícios de expressão oral e escrita:

a) Conte a viagem que Celso e Rute fizeram pelo Brasil.

b) Conte uma viagem que você fez.

c) Faça um comentário sobre a importância (ou não) de viajar. Para isso procure usar algumas expressões e conjunções do Roteiro a seguir.

Observação: Você já pode fazer comentários sobre artigos lidos.
Essas expressões e conjunções vão ajudá-lo na redação:

I - Introdução:	colocar o assunto:	Trata-se de (um artigo sobre) De acordo com Segundo o autor
II - Desenvolvimento	a) enumerar idéias:	Em primeiro lugar, Em segundo...,
	b) exemplificar:	como — por exemplo — como, por exemplo
	c) idéias alternativas:	ou — ou...ou — ora...ora
	d) idéias adversativas:	mas, porém, entretanto, no entanto, contudo, todavia.
	e) contrastes:	por outro lado — ao contrário
	f) idéias explicativas:	porque, pois, já que
	g) dar opinião:	na (minha) opinião (do autor) eu acho que, a meu ver
III - Conclusão	Finalizar:	logo, portanto, então, assim.
Cuidado:	*pourtant* - entretanto, no entanto	*donc* - portanto

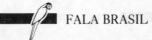

17. Leia a notícia de jornal abaixo e conte a um amigo o que você leu, detalhadamente, segundo o Roteiro que você acabou de aprender:

Operários voltam à greve

Depois de cinco dias de trégua, os operários da Empresa Metal voltaram à greve iniciada há quatro semanas.

O representante dos operários disse que eles foram iludidos pela aparente disposição da empresa em negociar e que ela, na verdade, não pretende "diminuir seus lucros a favor de salários mais dignos a seus empregados".

O presidente da empresa, por sua vez, considerou irresponsável a atitude dos operários que "devem estar sendo manipulados por agitadores que pretendem desestabilizar a economia do país". Segundo ele, as negociações já marchavam para um acordo satisfatório a ambas as partes, sendo retardada pelo problema interno da "necessidade de repassar o aumento aos preços do produto sem levar à estagnação da produção".

É o eterno círculo vicioso da inflação: aumentando o salário, aumentam o produto. Com o preço do produto mais alto, o salário fica defasado. E aí começa tudo outra vez...

RESUMO

Texto: Um pouco de Brasil

GRAMÁTICA

1. Futuro do Presente e Futuro do Pretérito (formação e uso).
2. Família de palavras: advérbios e locuções adverbiais.
3. Discurso Indireto.
4. Verbos SABER, PODER, QUERER — uso no passado (perfeito ou imperfeito).

EXPRESSÕES

pudera	tá legal
que exagero	vou indo
cada vez mais	vem vindo
nem tanto	enrolar alguém
acabar de	por acaso
pra burro	procurar usar/saber, etc (= tentar + infinitivo)
espera aí	

MÚSICA

Você só... mente

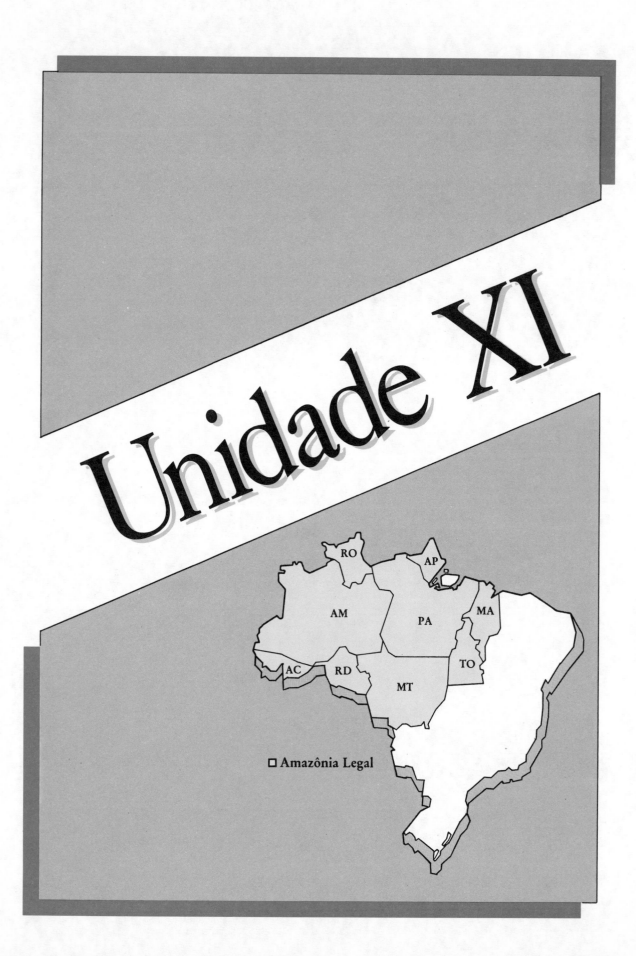

Unidade XI

Amazônia Legal

RO AP AM PA MA AC RD MT TO

TEXTO

O HOMEM NU
PARTE I

Fernando Sabino

Ao acordar, disse para a mulher:

— Escuta, minha filha: hoje é dia de pagar a prestação da televisão, vem aí o sujeito com a conta, na certa. Mas acontece que eu não trouxe dinheiro da cidade, estou a nenhum.

— Explique isso ao homem — ponderou a mulher.

— Não gosto dessas coisas. Dá um ar de vigarice, gosto de cumprir rigorosamente as minhas obrigações. Escuta: quando ele vier a gente fica quieto aqui dentro, não faz barulho, para ele pensar que não tem ninguém. Deixa ele bater até cansar. Amanhã eu pago.

Pouco depois, tendo despido o pijama, dirigiu-se ao banheiro para tomar um banho, mas a mulher já se trancara lá dentro. Enquanto esperava, resolveu fazer um café. Pôs a água a ferver e abriu a porta de serviço para apanhar o pão. Como estivesse completamente nu, olhou com cautela para um lado e para outro antes de arriscar-se a dar dois passos até o embrulhinho deixado pelo padeiro sobre o mármore do parapeito. Ainda era muito cedo, não poderia aparecer ninguém. Mal seus dedos, porém, tocavam o pão, a porta atrás de si fechou-se com estrondo, impulsionada pelo vento.

Aterrorizado, precipitou-se até a campainha e, depois de tocá-la, ficou à espera, olhando ansiosamente ao redor. Ouviu lá dentro o ruído da água do chuveiro interromper-se de súbito, mas ninguém veio abrir. Na certa a mulher pensava que já era o sujeito da televisão. Bateu com o nó dos dedos:

— Maria! Abre aí, Maria. Sou eu — chamou em voz baixa.

Quanto mais batia, mais silêncio fazia lá dentro.

Enquanto isso, ouvia lá embaixo a porta do elevador fechar-se, viu o ponteiro subir lentamente os andares... Desta vez era o homem da televisão!

Não era. Refugiado no lanço da escada entre os andares, esperou que o elevador passasse, e voltou para a porta de seu apartamento, sempre a segurar nas mãos nervosas o embrulho do pão:

— Maria, por favor! Sou eu!

Desta vez não teve tempo de insistir: ouviu passos na escada, lentos, regulares, vindos lá de baixo... Tomado de pânico, olhou ao redor, fazendo uma pirueta, e assim despido, embrulho na mão, parecia executar um ballet grotesco e mal ensaiado. Os passos na escada se aproximavam, e ele sem onde se esconder. Correu para o elevador, apertou o botão. Foi o tempo de abrir a porta e entrar, e a empregada passava, vagarosa, encetando mais um lanço de escada. Ele respirou aliviado, enxugando o suor da testa com o embrulho do pão. Mais eis que a porta interna do elevador se fecha e ele começa a descer.

> *E agora? O que vai acontecer com o homem nu? Imagine qual seria o final e continue você mesmo como escritor!*

— Por acaso você conhece um bom cabeleireiro?
— Eu conheço um ótimo, lá no centro. É ao lado da Mesbla.
— Precisa marcar hora?
— É, eu acho que é melhor marcar. Eu te dou o telefone...

. . . .

— Bom dia, eu tenho hora marcada para cortar cabelo.
— Por favor, sente-se aqui. A senhora não quer aproveitar e fazer a mão também?
— Boa idéia. Eu estou precisando mesmo fazer as unhas. Você tem esmalte incolor?
— Tenho. E o cabelo? O que a senhora quer fazer?
— Eu quero a franja bem curta, e atrás eu quero só cortar as pontas.

Sistematização

I) FAMÍLIA DE PALAVRAS — Sufixos formadores de profissão

-eiro	-tor -dor -sor	-ista
cabeleir*eiro*	encana*dor*	eletric*ista*
ped*reiro*	profe*ssor*	dent*ista*
faxin*eiro*	dire*tor*	jorna*lista*
engenh*eiro*	pin*tor*	art*ista*
port*eiro*	agricul*tor*	pian*ista*

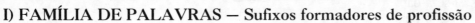

Exercício

1. Vamos praticar o discurso indireto? Retome os diálogos dirigidos da *Unidade X* e use sua imaginação dando nome aos personagens, e fazendo adaptações necessárias. **Exemplo:**

1) Sérgio me perguntou se eu fui à feijoada na casa do Toninho. Eu respondi que sim (ou: que fui) e que comi pra burro.
2) D. Maria perguntou ao marido por que ele não levou os pãezinhos que ela pediu (ou: tinha pedido). O marido disse que, quando ele passou na padaria, os pãezinhos já tinham acabado.
3) Dr. Jorge perguntou ao Mauro se ele estudou (ou: tinha estudado) na USP. Mauro respondeu que sim, que ele fez (ou: tinha feito) Arquitetura.
4) Pedro achou uma grande coincidência encontrar João no clube e lhe perguntou se ele também era sócio. João respondeu que era, mas não ia muito lá. Por esse motivo é que Pedro nunca o tinha visto lá antes.

NA IMOBILIÁRIA

— O senhor tem algum apartamento de três quartos perto do *Shopping*?

— Deixa eu ver... Eu tenho um a duas quadras do *Shopping*, mas tem só dois quartos, serve?

— Bem, eu gostaria de ver o apartamento.

— Pois não. Aqui estão as chaves e o endereço.

— Ah, tinha me esquecido. Tem garagem, né?

— Tem sim.

— E o condomínio, o senhor sabe se é muito caro?

— É meio carinho sim, porque tem piscina, salão de festas, *playground*...

Sistematização

II) Uso da Preposição A

1) Localizar:
  a) Eu tenho um apartamento que fica *a* duas quadras do *Shopping*.
  b) — Onde fica a embaixada da Inglaterra?
    — Fica *a* três quarteirões da Praça da República.
  c) — Onde você mora?
    — Eu moro numa chácara *a* cinco quilômetros da cidade. (ou: Eu moro numa chácara *a* cinco minutos da cidade.)

2) Preço (compare com *por*: Comprei um vestido *por* CR$ 7.750,00

  a) Na feira, perto da minha casa, estavam vendendo bananas *a* CR$ 395,00 *a dúzia*.

3) Com as expressões:
  a) escrever *a mão*/escrever *a máquina*.
  b) trabalho feito *a mão*.
  c) andar *a pé*/*a cavalo*.
  d) *às pressas* (= apressadamente)

4) Com alguns verbos seguidos de infinitivo (Regência Verbal):
  a) ajudar: Eu *ajudei a fazer* os convites da festa junina da escola.
  b) começar: Eu *comecei a fumar* muito cedo.
  c) ensinar: Foi meu pai que me *ensinou a nadar*.
  d) aprender: Quando você *aprendeu a bater* a máquina?

Exercício

2. Faça frases semelhantes aos exemplos acima usando a preposição *A*.

> **DICA:** Você já notou?
> Depois da preposição usamos geralmente o *infinitivo*, e não o gerúndio.
>
> Apague a luz antes *de sair*.
> Sonho *em viajar* para a China.
> Morri *de rir* da piada que ele contou.
> Acabei *de fazer* a lição.
> Falei *sem pensar*.
> Parei *de fumar*.
> Já me acostumei *a dormir* tarde.
> Comecei *a pintar* um quadro.
> Ele me pediu *para ficar*.
> Prefiro fumar *a beber*.

III) LOCUÇÕES PREPOSITIVAS

Vamos relembrar algumas locuções prepositivas e aprender a usar outras:

antes de	apesar de
depois de	em vez de
dentro de	por causa de
fora de	em volta de
em cima de	de acordo com
embaixo de	a fim de
ao lado de	através de
em frente de	além de

Eu gosto do meu professor porque, *além de* ensinar bem, ele tem muita paciência.

O senador vai dar uma declaração oficial *a fim de* acabar com os boatos.

Ela estava observando tudo *através da* porta entreaberta.

Eu soube das notícias *através dos* jornais.

Apesar de sermos católicos, vamos pouco à igreja.

De acordo com as estatísticas, a taxa de crescimento da população no Brasil está diminuindo.

Por que você não compra vinho branco *em vez de* tinto?

Ele foi preso *por causa do* golpe que aplicou no banco.

Todos se sentaram *em volta do* líder.

3. Complete com as locuções que você aprendeu:

— Eu gosto muito de almoçar aqui _____ (a) eficiência do serviço.
— Eu concordo. E _____ (isso) a comida é ótima.

— _____ não gostar de ópera, Margarida acompanhou o marido _____ não criar mais problemas.
— Xi!... Amanhã tem prova de História e eu ainda não decorei as datas.
— Eu já sei tudo de cor, porque _____ ir à festa, eu fiquei estudando até de madrugada.

— O Fábio adora queijos e ele pode reconhecer os diferentes tipos _____ (o) cheiro.

— O João acabou de passar aqui, e _____ ele, o prazo da concorrência termina amanhã.
— Bom, eu não estou muito a par disso, mas eu tenho a impressão de que o prazo vai até a semana que vem.

4. Forme novas frases usando locuções prepositivas.

IV) Infinitivo com Flexão

Observe as sentenças abaixo:

Minha tia comprou um livro para ler.
(*Ela* comprou e *ela* vai ler.)

Minha tia comprou um livro para (nós) *lermos*.
(*Ela* comprou o livro e *nós* vamos ler.)

Fizemos um empréstimo na Caixa Econômica para construir uma casa.
(*Nós* fizemos empréstimo e *nós* vamos construir.)

Fizemos um empréstimo na Caixa Econômica para meus pais construírem uma casa.
(*Nós* fizemos o empréstimo e *meus pais* vão construir.)

Origem: *Infinitivo impessoal.*

Exemplo: FICAR ⟶ eu ficar
você ficar
ele/ela ficar
nós ficar*mos*
vocês ficar*em*
eles/elas ficar*em*

Como você viu nas sentenças acima, o *infinitivo com flexão* aparece quando *os sujeitos são diferentes*. Seu uso esclarece o sentido da frase, mostra quem é quem:

Ela disse para eu ficar
para você ficar
para ele ficar
para nós ficarmos
para vocês ficarem
para eles ficarem

5. Complete:

— Ela deu dinheiro para (nós) _____ (comprar) selos.

— A polícia pediu para todos _____ (ficar) em casa durante as manifestações.

— Crianças, eu já disse para vocês não _____ (fazer) mais isso.

— O diretor disse para os funcionários _____ (sair) da sala.

— Vocês autorizaram a venda do carro?
— Não. Meu filho o vendeu sem (nós) _____ (saber).

6. Faça frases de acordo com o modelo:

(para) José trouxe uma pizza. Nós vamos comer a pizza.
José trouxe uma pizza *para (nós) comermos.*

a) (sem) Levei meus filhos para o Japão. Eles nem sabem falar japonês.
b) (depois de) Nós vamos poder conversar calmamente. As crianças vão para a cama.
c) (apesar de) O porteiro impediu nossa entrada no clube. Nós somos sócios.
d) (antes de) Saímos da festa. Serviram o bolo.
e) (até) O professor vai explicar. Nós entenderemos.

NOTA: Em alguns casos, apesar de os sujeitos serem iguais, usa-se o *infinitivo com flexão* por simples questão de harmonia ou ênfase:

1) Meus avós foram morar na praia depois de terem se aposentado.
2) Perdemos a melhor peça do ano, apesar de gostarmos muito de teatro.
3) — Você viu? O Nélson e a Sônia estavam na festa!
   — Que cara de pau a deles! Foram à festa sem serem convidados.
4) — Eles foram promovidos por baterem recordes de venda.
   — Quer dizer que eles são bons mesmo, hem?

V) Pretérito Perfeito Composto

Observe o diálogo abaixo:

— E então, dona Vera? Marcou a reunião com o dr. Silveira?
— Sinto muito, seu Américo. A agenda dele está lotada.
— Não é possível! Outra vez? Eu preciso tanto falar com ele!
— Eu *tenho feito* o possível, mas...
— Por favor, vê se a senhora dá um jeitinho.
— Eu não prometo, mas vou tentar encaixá-lo entre dois horários.
— Obrigado, dona Vera.

JOGAR

tenho jogado
tem jogado
temos jogado
têm jogado

BEBER

tenho bebido
tem bebido
temos bebido
têm bebido

DORMIR

tenho dormido
tem dormido
temos dormido
têm dormido

— Eu jogo tênis toda a semana, mas *ultimamente eu não tenho jogado* por causa da chuva.

— Ei, Celso. Há quanto tempo! Por onde você *tem andado*? Eu não *tenho visto* você por aqui...

— Agora no inverno, com o frio, meu carro *tem dado* problema para pegar.
— Carro a álcool é isso... Por isso eu prefiro carro a gasolina.

— Eu ouvi dizer que vocês pediram concordata, é verdade?
— Infelizmente é. A situação está complicada. Não *tem sido* fácil "segurar essa barra" (gíria para: suportar essa situação).

— Desde que o ministro foi demitido, ele *tem recebido* mais de vinte telefonemas de solidariedade por dia.

NOTA: Veja como o *pretérito perfeito composto* é parecido com a expressão que você já aprendeu na *Unidade IX:* **andar + gerúndio**

Eu ando trabalhando muito.   Eu tenho trabalhado muito.
Nós andamos dormindo mal ultimamente.   Nós temos dormido mal ultimamente.

Diálogos Dirigidos

Complete as lacunas com o Pretérito perfeito composto, e depois pratique os diálogos:

1) — Sérgio, nós precisamos trocar esse maldito chuveiro elétrico!
— Por quê?
— Porque eu não agüento mais! Ultimamente eu _____ (levar) choque todo dia na hora do banho!

NOTA: Expressões com o verbo LEVAR:

1) levar susto.

2) levar multa.

2) — E o Flavinho? Você _____ (ver?)

— Ele andava meio sumido, mas depois que a minha sobrinha mudou pra cá, ele _____ (vir) sempre aqui.

3) — Vocês já começaram a preparar as fantasias para o carnaval?

— Nossa! É mesmo! A gente _____ (trabalhar) tanto que nem percebeu o tempo passar...

4) — Você viu as notas que as crianças tiraram na escola?

— É, vi sim. Elas não _____ (estudar) muito.

— Mas você precisa dar mais atenção a elas! A culpa é sua!

— Tudo eu nessa casa! Você sabe que eu _____ (fazer) o possível!

5) — Você nem imagina o que eu _____ (agüentar) depois que a minha sogra foi morar lá em casa...

— Ah, é! Eu soube que ela ficou viúva.

— Pois é... Não sei como meu sogro sobreviveu tanto tempo com aquela "cobra" dentro de casa!

COMPARANDO ESTRUTURAS:

Pretérito perfeito composto = present perfect continuous (+ lately)
Eu *tenho trabalhado muito.* = I *have been working* too much.
    (ultimamente)   (lately)

Cuidado: I have been sleeping all morning. (not lately)

Nesse caso use outro tempo como:
Dormi a manhã toda.

Exercício

Douglas e Geraldo conheceram-se na Europa há dois anos. Douglas é australiano e está aprendendo português com o método FALA BRASIL, um presente que seu amigo Geraldo lhe enviou. Eles se correspondem regularmente.

7. Complete os espaços em branco com preposições e contrações:

Campinas, 27 de junho de 1988

Caro Douglas,

Na sua última carta, você me pediu _____ falar _____ as festas juninas. Eu não sou um especialista _____ assunto mas já participei _____ muitas.

As festas juninas são comemoradas _____ homenagem a Santo Antônio (dia 13/6), São João (dia 24/6) e São Pedro (dia 29/6), santos católicos muito populares _____ Brasil todo. São realizadas _____ clubes, _____ escolas, _____ fazendas, _____ igrejas, e até mesmo _____ ruas.

As crianças adoram o mês _____ junho porque é época _____ fogos de artifício, _____ fogueiras e _____ balões. A comida varia de região _____ região, mas aqui no estado de São Paulo, além de pipoca e amendoim torrado, nós fazemos doce de batata doce, pé-de-moleque, paçoca e muitas outras coisas típicas _____ zona rural. A bebida é uma mistura _____ cachaça e gengibre (uma raiz) e é servida quente — lembre-se de que também estamos no inverno — por isso o nome quentão. O ponto alto _____ festa é a dança da quadrilha (*square dance*) da qual quase todos participam. As roupas muito coloridas, o chapéu de palha retratam a origem rural dessa festa bem caipira.

Bom, Douglas, acho que já deu _____ você ter uma idéia _____ festa. Gostei _____ ver o progresso que você tem feito _____ português. Sua última carta estava quase _____ erros. Meu amigo, paro _____ aqui, porque estou dormindo em pé. Aliás, tenho estudado demais. Graças _____ Deus as férias escolares estão chegando e vou acampar _____ meus amigos _____ faculdade.

Um abraço para você do Geraldo.

P.S.- Aqui vai mais uma música para você tocar no violão.

Festa do Interior
Moraes Moreira/Abel Silva
canta: Gal Costa

G
Fagulhas, pontas de agulhas

Am
Brilham estrelas de São João

D7
Babados, xotes e xaxados

G
Segura as pontas, meu coração

Bombas da guerra magia

sol7
Ninguém matava

C
Ninguém morria

G
Nas trincheiras da alegria

D7
O que explodia

G7
Era o amor

B7
Ardia aquela fogueira

Em
Que me esquentava a vida inteira

A7
Eterna noite

D7   C   G
Sempre a primeira festa do interior

Sistematização

VI) VOZ PASSIVA

Voz ativa: *O cachorro*   mordeu   *o menino.*
                   A   B

Voz passiva: *O menino*   foi mordido   *pelo cachorro.*
                     B   A (por + o)

> Verbo SER no mesmo tempo do verbo principal
> + PARTICÍPIO

Etapas:

1) Identificar o tempo do verbo principal.
2) Verbo SER no tempo do verbo principal.
3) Verbo principal no particípio.
4) Mudar *A*.......*B* para *B*.......*por + A*
5) Concordância.

Observe a aplicação das etapas na frase abaixo:

Maria prepara as sobremesas.

A | B
1ª etapa: verbo principal: Presente
2ª etapa: verbo SER no presente: sou, é, somos, são
3ª etapa: particípio do verbo principal: preparado
4ª etapa: as sobremesas..........por + Maria
5ª etapa: As sobremesas são preparadas por Maria.

Exercícios

8. Vamos trabalhar com as etapas 1, 2 e 3:

| levava | vai usar | tinha visto | está fazendo |
| era + levado | vai ser + usado | tinha sido + visto | está sendo + feito |

Agora, complete os trapézios:

estava escrevendo   ia mandar   reunirá

_____ + _____   _____ + _____   _____ + _____

lava   punha   resolver

_____ + _____   _____ + _____   _____ + _____

receberia   roubou   tem publicado

_____ + _____   _____ + _____   _____ + _____

ia examinar   está mostrando   exportar

_____ + _____   _____ + _____   _____ + _____

ensaiará   empurrou   vai inaugurar

_____ + _____   _____ + _____   _____ + _____

9. Vamos concordar o particípio?

fechar porta → porta fechada
abrir portões → portões abertos
alugar casas → _____
pôr mesa → _____
observar lua → _____
assinar contrato → _____
puxar cordas → _____
admirar estrelas → _____
abrir janela → _____
comprar bilhetes → _____

10. Neste exercício as etapas 1, 2 e 3 já estão prontas.
Preocupe-se só com as etapas 4 e 5.
Modelo: O diretor pôs os documentos no cofre.

              foi   posto

          Os documentos foram postos no cofre (pelo diretor).
Ele vendia carros

   era   vendido

_____

Ela tinha exposto os quadros na galeria.

   tinha sido   exposto

_____

Eu vou fazer o trabalho.

   vai ser   feito

_____

Maria o assassinou.

   foi   assassinado

_____

Eu ia ler a revista.

   ia ser   lido

_____

11. Transforme as frases obedecendo as cinco etapas:
Modelo: Osmar está abrindo as janelas.
            1ª: tempo do verbo: Presente contínuo
            2ª: verbo SER no mesmo tempo: *está sendo*
            3ª: verbo principal no particípio: *aberto*
            4ª: *As janelas . . . . por Osmar.*
            5ª: *As* janel*as* est*ão* sendo abert*as* por Osmar.

a) *Os homens colocaram o sofá* na sala.
b) Antigamente *nós assinávamos o contrato* na sala do presidente.
c) *A Regina vai alugar a casa* por um ano.
d) *Alguém já tinha enviado as cartas.*
e) *Os alunos lêem os textos* em voz alta.

NOTA: Repare que muitas vezes omitimos *por + A*:
     Exemplos: A casa foi vendida.
                Fui empurrado no ônibus.

12. Responda as questões usando a voz passiva:

a) Onde puseram os documentos? (no cofre)
b) Para que você vai usar isso? (regular o motor)
c) Quando fundaram essa escola? (1970)
d) Por que eles têm comprado bilhetes de loteria? (querem ficar ricos)
e) Quando vocês fariam a prova? (dia 15)

13. Com outros verbos auxiliares (além dos que você já viu: TER, ESTAR, IR), você também não encontrará dificuldades:

Exemplo:
Eu *preciso fazer* o trabalho.

O trabalho *precisa ser* + *feito* (por mim).

a) Vocês devem assinar o contrato.
b) Eu tenho de vender meu carro.
c) Ele deveria fechar a porta.
d) As crianças podiam pôr a mesa para o jantar.

Atenção:

Particípios abundantes

Alguns verbos têm dois particípios: um regular e um irregular.
acender: *acendido*   e   *aceso*(s)/*acesa*(s)

Eu *tinha acendido* a lâmpada. — (voz ativa)
A lâmpada *tinha sido acesa*. — (voz passiva)

O particípio *regular* é usado comumente na *voz ativa*,
enquanto o particípio *irregular* é usado na *voz passiva*.
Veja outros verbos com dois particípios:

salvar	salvado	salvo(s)/salva(s)
eleger	elegido	eleito(s)/eleita(s)
entregar	entregado	entregue(s)
expulsar	expulsado	expulso(s)/expulsa(s)
matar	matado	morto(s)/morta(s)
aceitar	aceitado	aceito(s)/aceita(s)
soltar	soltado	solto(s)/solta(s)
prender	prendido	preso(s)/presa(s)
limpar	limpado	limpo(s)/limpa(s)

---

14. Transforme da voz passiva para a voz ativa:

a) O leão tinha sido morto pelos caçadores.
b) Os criminosos haviam sido presos pela polícia.
c) As cartas têm sido entregues pelo zelador.
d) O convite teria sido aceito por nós.
e) Antes das cinco horas a casa toda terá sido limpa pela faxineira.

15. Transforme da voz ativa para a voz passiva:

a) Aceitarei o trabalho.
b) Devo entregar as provas amanhã.
c) Algumas pessoas têm soltado balões neste mês de junho.
d) Expulsaram o traidor do partido.
e) O povo o elegerá, sem nenhuma dúvida.

Vamos verificar qual o desfecho que o autor deu ao "Homem nu"?

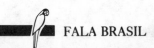

O HOMEM NU
PARTE II

Fernando Sabino

— Ah, isso é que não! — fez o homem nu, sobressaltado.
E agora? Alguém lá embaixo abriria a porta do elevador e daria com ele ali, em pêlo, podia mesmo ser algum vizinho conhecido... Percebeu, desorientado, que estava sendo levado cada vez mais para longe de seu apartamento; começava a viver um verdadeiro pesadelo de Kafka, instaurava-se naquele momento o mais autêntico e desvairado Regime de Terror.

— Isso é que não — repetiu, furioso.

Agarrou-se à porta do elevador e abriu-a com força entre os andares, obrigando-o a parar. Respirou fundo, fechando os olhos, para ter a momentânea ilusão de que sonhava. Depois experimentou apertar o botão do seu andar. Lá embaixo continuavam a chamar o elevador. Antes de mais nada: "Emergência: parar". Muito bem. E agora? Iria subir ou descer? Com cautela desligou a parada de emergência, largou a porta, enquanto insistia em fazer o elevador subir. O elevador subiu.

— Maria! Abre essa porta! — gritava, desta vez esmurrando a porta, já sem nenhuma cautela. Ouviu que outra porta se abria atrás de si. Voltou-se, acuado, apoiando o traseiro no batente e tentando inutilmente cobrir-se com o embrulho do pão. Era a velha do apartamento vizinho:

— Bom dia, minha senhora — disse ele, confuso. Imagine que eu...
A velha, estarrecida, atirou os braços para cima, soltou um grito:
— Valha-me Deus! O padeiro está nu!
E correu ao telefone para chamar a radiopatrulha:
— Tem um homem pelado aqui na porta!
Outros vizinhos, ouvindo a gritaria, vieram ver o que se passava:
— É um tarado!
— Olha que horror!

— Não olha não! Já pra dentro, minha filha!

Maria, a esposa do infeliz, abriu finalmente a porta para ver o que era. Ele entrou como um foguete e vestiu-se precipitadamente, sem nem se lembrar do banho. Poucos minutos depois, reestabelecida a calma lá fora, bateram na porta:

— Deve ser a polícia — disse ele, ainda ofegante, indo abrir.

Não era. Era o homem da televisão.

16. Expressão oral: conte a história toda com suas próprias palavras.

VII) Pretérito Mais-Que-Perfeito (simples)

Composto   Simples

Eu tinha vendido   Eu vendera

Naquele dia eu *tinha saído* mais cedo.
Naquele dia eu *saíra* mais cedo.

A forma simples do Pretérito mais-que-perfeito é usada somente na linguagem escrita. No texto "O homem nu" ela aparece logo no início — você deve ter notado:

> "...dirigiu-se ao banheiro para tomar um banho, mas a mulher já *se trancara* lá dentro." — isto é, a mulher já *tinha se trancado* lá dentro.

Vamos ver como esse tempo se forma:

Pretérito perfeito	Pretérito mais-que-perfeito
Trazer: Eu trouxe, eles trouxe*ram* ⟶	Eu trouxe*ra*
Fazer: Eu fiz, eles fize*ram*	Eu fize*ra*
Pagar: Eu paguei, eles paga*ram*	Eu paga*ra*
Vir: Eu vim, eles vie*ram*	Eu vie*ra*
Querer: Eu quis, eles quise*ram*	Eu quise*ra*
Morar: Eu morei, eles mora*ram*	Eu mora*ra*
Poder: Eu pude, eles pude*ram*	Eu pude*ra*
Tomar: Eu tomei, eles toma*ram*	Eu toma*ra*
Ver: Eu vi, eles vi*ram*	Eu vi*ra*
Dizer: Eu disse, eles disse*ram*	_____
Caber: Eu coube, eles coube*ram*	_____
Saber: Eu soube, eles _____	_____
Ler: Eu li, eles _____	_____
Ser: Eu fui, eles _____	_____
Vestir-se: Eu me vesti, eles se vesti*ram*	_____
Ouvir: _____	_____
Estar: _____	_____
Pedir: _____	_____
Enganar-se: _____	_____
Ter: _____	_____
Pôr: _____	_____
Ir: _____	_____

Veja a terminação para as outras pessoas:
(a sílaba tônica de cada forma verbal está grifada)

Eu	mo*ra*ra	be*be*ra	dor*mi*ra
Você	mo*ra*ra	be*be*ra	dor*mi*ra
Ele/Ela	mo*ra*ra	be*be*ra	dor*mi*ra
Nós	mo*rá*ramos	be*bê*ramos	dor*mí*ramos
Vocês	mo*ra*ram	be*be*ram	dor*mi*ram
Eles/Elas	mo*ra*ram	be*be*ram	dor*mi*ram

Exercícios

17. Complete seguindo mentalmente as etapas: ontem eu..., eles..., então:...

Receber: nós _____   Morrer: ele _____

Perder: eles _____   Socorrer: ela _____

Pedir: você _____   Fugir: vocês _____

Pretender: ele _____   Escapar: eles _____

Almoçar: nós _____   Sair: nós _____

Ser: ela _____   Pôr: eu _____

Ter: eu _____   Dizer: ele _____

18. Substitua o Pretérito mais-que-perfeito simples pelo composto e vice-versa:

Quando eu cheguei lá, ela já saíra. _____

Eu estava feliz porque tinha terminado o trabalho. _____

A chave não estava onde eu a tinha deixado. _____

Nós estávamos aflitos porque ela ainda não dera notícias. _____

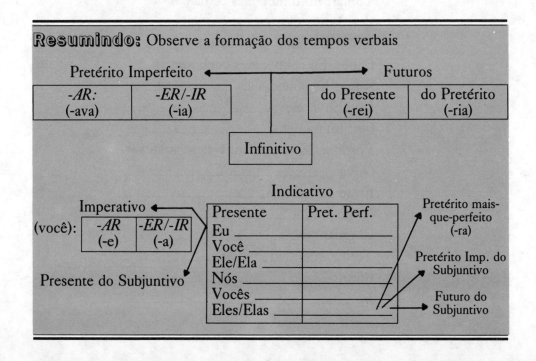

Resumindo: Observe a formação dos tempos verbais

Pretérito Imperfeito				Futuros	
-AR: (-ava)	*-ER/-IR* (-ia)			do Presente (-rei)	do Pretérito (-ria)

Infinitivo

Indicativo

Imperativo (você): | *-AR* (-e) | *-ER/-IR* (-a) |

Presente do Subjuntivo

	Presente	Pret. Perf.
Eu		
Você		
Ele/Ela		
Nós		
Vocês		
Eles/Elas		

Pretérito mais-que-perfeito (-ra)

Pretérito Imp. do Subjuntivo

Futuro do Subjuntivo

VIII) Tempos Compostos do Indicativo

Pretérito perfeito comp.	→	tenho + particípio
Pretérito mais-que-perf. comp.	→	tinha + particípio
Futuro do presente comp.	→	terei + particípio
Futuro do pretérito comp.	→	teria + particípio

Presente contíno	→	estou + gerúndio
Passado contínuo	→	estava + gerúndio
Futuro com o verbo IR	→	vou + infinitivo
Futuro do pretérito com o verbo IR	→	ia + infinitivo

Sidnei, 13 de julho de 1988

Meu querido amigo Geraldo:

Em primeiro lugar quero agradecer as informações e as histórias em quadrinhos (gibis, como vocês chamam, não é?) que você me enviou. Tenho aprendido muitas expressões e gírias, principalmente nos gibis do Maurício de Souza. Seus personagens são muito engraçados. Obrigado também pelas correções que você fez em minha última carta. Foi bom, pois notei que não estava empregando bem os comparativos, então fiz uma boa revisão desse assunto.

Geraldo, estou planejando ir ao Brasil em janeiro. Vamos ver se dessa vez a viagem vai dar certo, se não vai acontecer outro imprevisto. Daqui a quinze dias mais ou menos vou ter mais detalhes e depois escrevo para você.

Como você, eu também tenho estudado muito, por isso não tenho muitas novidades para contar. Estou mandando, junto com a carta, uma lista das expressões e gírias que não consegui entender bem. Você poderia, mais uma vez, me ajudar? Quero estar falando muito bem até janeiro.

Um grande abraço do seu amigo Douglas

P.S.: Estou praticando a última música que você mandou – adorei!

E você? Tem empregado corretamente os comparativos?
E quanto ao imperativo, pronomes pessoais e pronomes indefinidos?
Procure fazer uma pequena revisão.

IX) FAMÍLIA DE PALAVRAS — Prefixos formadores de antônimos

Observe:

feliz	— *in*feliz	ligar	— *des*ligar
capaz	— incapaz	encontro	— desencontro
certo	— incerto	leal	— desleal
provável	— improvável	armado	— desarmado
possível	— impossível	ativar	— desativar
diferente	— indiferente	fazer	— desfazer
correto	— _____	arrumar	— _____
suportável	— _____	regulado	— _____
formal	— _____	animado	— _____
coerente	— _____	equilibrado	— _____
parcial	— _____	atento	— _____

Exercício

19. Forme frases com esse vocabulário.

RESUMO

Situações: No cabeleireiro
Alugando um apartamento

Texto: "O homem nu"
Cartas (sobre festas juninas)
(resposta à carta anterior)

GRAMÁTICA

— Família de palavras: sufixos formadores
de profissão; prefixos que indicam negação
(*in*, *des*).
— Alguns usos da preposição "*A*".
— Infinitivo com flexão.
— Pretérito perfeito composto (tenho +
particípio).
— Voz passiva.
— Particípios abundantes.
— Pretérito mais-que-perfeito simples.
— Locuções prepositivas.

EXPRESSÕES

quer dizer que...
cara de pau
dar um jeitinho
segurar a barra
tirar nota (nas provas)
levar: choque/susto/uma multa etc
dormir em pé
fazer as unhas/a mão/o pé
de cor
estar a par

MÚSICA

Festa do Interior

Unidade XII

Florestas e a devastação

Florestas e devastação
- ☐ Áreas originais das florestas
- ▨ Formações herbáceas e arbustivas
- ▧ Áreas devastadas

MÚSICA

Hora da razão

Batatinha / J. Luna
Canta: Caetano Veloso

Se eu deixar de sofrer
Como é que vai ser
Para me acostumar
Se tudo é carnaval   (bis)
Eu não devo chorar
Pois eu preciso me encontrar

Sofrer também é merecimento
Cada um tem seu momento
Quando a hora é da razão
Alguém vai sambar comigo
E o nome eu não digo
Guardo tudo no coração

Sistematização

I) Uso da expressão DEIXAR DE

Se eu *deixar de* sofrer... = parar   *Não deixe de* ver = veja

Vou deixar de fumar.   Não deixe de ir. = Vá.

Ele deixou de beber.   Não deixe de fazer. = Faça.

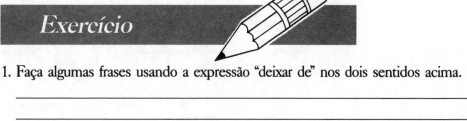

Exercício

1. Faça algumas frases usando a expressão "deixar de" nos dois sentidos acima.

_____

_____

_____

_____

_____

II) SUBJUNTIVO: Se eu deixar...

Você viu na *Unidade XI* a formação do Pretérito mais-que-perfeito simples. Note que o *futuro* e o *pretérito imperfeito* do subjuntivo têm a mesma origem:

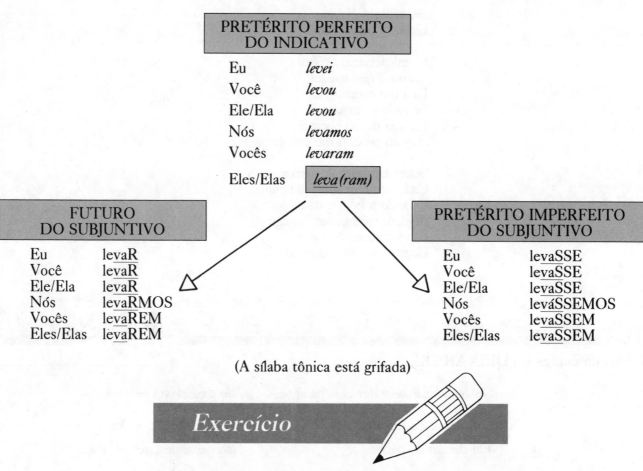

PRETÉRITO PERFEITO DO INDICATIVO

Eu	*levei*
Você	*levou*
Ele/Ela	*levou*
Nós	*levamos*
Vocês	*levaram*
Eles/Elas	*leva(ram)*

FUTURO DO SUBJUNTIVO

Eu	levaR
Você	levaR
Ele/Ela	levaR
Nós	levaRMOS
Vocês	levaREM
Eles/Elas	levaREM

PRETÉRITO IMPERFEITO DO SUBJUNTIVO

Eu	levaSSE
Você	levaSSE
Ele/Ela	levaSSE
Nós	leváSSEMOS
Vocês	levaSSEM
Eles/Elas	levaSSEM

(A sílaba tônica está grifada)

Exercício

2. Vamos conjugar esses dois tempos do Subjuntivo seguindo as etapas:

Verbo FAZER a) No futuro: Ontem eu fiz, eles fizeram. Então:

Se eu fizer
Se você _____
Se ele _____
Se ela _____
Se nós _____
Se vocês _____
Se eles _____
Se elas _____

b) No imperfeito: Ontem eu fiz, eles fizeram. Então:
Se eu fizesse etc.

Agora, faça o mesmo com os verbos:

a) TER   d) PÔR   g) CABER   j) PODER   n) VER

b) SER   e) QUERER   h) IR   l) VIR   o) DAR

c) ESTAR   f) SABER   i) TRAZER   m) DIZER

— Vocês vão viajar nesse fim de semana?
— Se fizer sol, nós vamos acampar.

— Ela vai aceitar o emprego?
— Se o salário for bom, ela vai aceitar, sim.

— Você acha que a situação vai piorar?
— Se a inflação continuar assim, vamos ter um ano difícil.

— Amanhã eu vou para o Rio.
— E eu vou trabalhar. Que pena! Se eu pudesse eu iria com você.

— Você acha que a Regina concordaria com nossos planos?
— Se você explicasse direitinho, ela concordaria.

— Que desgraça! Eu ainda acabo me suicidando!!!
— Se eu fosse você eu não faria isso... Afinal de contas, o que aconteceu não é tão grave assim!

DICA: Entender não é difícil, mas lembre-se que, para falar bem, é importante automatizar. Que tal retomar os verbos irregulares que você conjugou e fazer alguns exercícios orais? Um pouquinho todo dia é o ideal!

1 - a) Se eu fizer, eu vou ter
Se eu tiver, eu vou ser
Se eu for, eu vou estar
Se eu estiver, eu vou pôr
Se eu puser, eu vou querer
etc.

b) Eu vou fazer se eu tiver
Eu vou ter se eu for
Eu vou ser se eu estiver
Eu vou estar se eu puser
Eu vou pôr se eu quiser
etc.

2 - a) Se eu fizesse, eu teria
Se eu tivesse, eu seria
Se eu fosse, eu estaria
etc.

b) Eu faria se eu tivesse
Eu teria se eu fosse
Eu seria se eu estivesse
etc.

III) OBSERVE

Se eu puder, eu *vou viajar* com você.
Se eu puder, *viajarei* com você.
Se você puder, *viaje* comigo.
Se eu puder, eu *viajo* com você.

Se + Futuro do Subjuntivo → Fut. com o verbo IR
→ Futuro do presente
→ Imperativo
→ Presente do Indicativo

Se eu pudesse *viajaria* com você.
Se + Imperfeito do Subjuntivo ⟶ Futuro do pretérito (condicional)

As formas "ia viajar" e "viajava" no lugar de "viajaria" são modelos alternativos da linguagem coloquial.

Diálogos Dirigidos

Complete usando o Futuro ou o Imperfeito do Subjuntivo:

1) — Eu ouvi dizer que a nova diretora não gosta de teatro...
— Que pena! Se ela _____ (gostar), nós receberíamos mais apoio.

2) — Eu não sei se o Joaquim vai estar em casa. Você quer arriscar?
— Quero. Se ele não _____ (estar), eu vou esperá-lo.
— Bom, se você _____ (querer), eu te faço companhia.

3) — Mãe! Você me leva ao clube?
— Você já acabou de fazer suas lições?
— Ainda não.
— Então, se você _____ (fazer) suas lições, se eu _____ (ter) tempo, se não _____ (chover)... Daí, então, eu levo você ao clube. Se Deus _____ (querer).

4) — É quase certo que ele não virá à reunião de amanhã.
— Que chato! Se ele _____ (vir), eu lhe mostraria os novos projetos.

5) — Você vai à feira de artesanato sábado?
— Se eu _____ (ter) tempo, eu vou.
— Então, me telefona se você _____ (ir) mesmo, tá?

6) — Disseram que ela odeia verão.
— Imagine! Ela jamais se mudaria para o Brasil se ela _____ (detestar) o calor!

7) — Algo (= alguma coisa) me diz que ele não vem mais...
— Outra vez? Só faltava isso! Ah! eu mato aquele infeliz se ele me _____ (fazer) isso de novo!

8) — Eu vou ensaiar a peça hoje à noite se a minha gripe não _____ (piorar).
— Se eu _____ (ser) você, eu ficaria em casa descansando. Você mal pode respirar! (não pode respirar normalmente)

NOTA: "Você *mal* pode respirar" ou "Você não pode *nem* respirar *direito*".

3. Complete:

Que dor nas pernas! Eu mal posso andar!
Que dor nas pernas! Eu não posso nem andar direito.

Já? Nós nem conversamos direito e você já vai embora?
Já? Nós _____

Quem estava com você ontem? Eu mal o vi!

_____

Que atrevido! Você ouviu o que ele me falou? E eu nem tive tempo de responder direito.

_____

4. Forme novas frases com as expressões acima.

Sistematização

IV) FAMÍLIA DE PALAVRAS

Alguns sufixos formadores de nomes:

-mento	*-ência*	*-dade*
sentir: o sentimento	paciente: a paciência	bom: a bondade
entender: o entendimento	referente: a referência	feliz: a felicidade
pensar: o _____	consciente: a _____	hábil: a _____
aquecer: _____	decente: _____	mensal: _____
arrepender: _____	aparente: _____	ambíguo: _____

-ez	*-eza*
rápido: a rapidez	certo: a certeza
pálido: a palidez	belo: a beleza
estúpido: _____	limpo: _____
polido: _____	pobre: _____

5. Observe o uso dessas palavras em textos de jornais, revistas ou crônicas e forme algumas frases com elas.

_____
_____
_____
_____
_____
_____
_____
_____

CHAMANDO O ENCANADOR

[Trim...]
— Alô?
— O seu Clemente está?
— É ele mesmo.
— Seu Clemente? Aqui é o Silva da farmácia. Tudo bem?
— Oi, seu Silva! O que o senhor manda?
— É a descarga do banheiro que não está funcionando.
— Tudo bem. Eu dou um pulinho aí daqui a meia hora.
— Tá ótimo, seu Clemente. Até já.

MÉDICO À NOITE

[Trim... trim...]
— Alô?
— É da casa do dr. Sérgio?
— É. É ele mesmo.
— Dr. Sérgio, aqui é a Marina Prado, mãe da Júlia. Desculpe estar ligando a essa hora, mas minha filha está com quarenta graus de febre.
— A senhora já a medicou?
— A febre começou há duas horas, e eu logo dei um antitérmico. Depois dei um banho de imersão, mas mesmo assim a febre não cedeu.
— Ela vomitou?
— Não, mas está se queixando de muita dor de cabeça.
— Nesse caso é melhor levá-la para o hospital.
— Desculpe a amolação, dr. Sérgio.
— Imagine. Estarei lá em quinze minutos.
— Obrigada, doutor. Nem sei como lhe agradecer.

Sistematização

V) Vamos retomar as orações condicionais: Modelos 1 e 2.

Preste atenção às diferenças:

Previsão do tempo: Céu nublado, vento sul moderado, forte possibilidade de chuva.

Modelo 1: — Oba! Se chover hoje à noite, nós vamos plantar amanhã.

Previsão do tempo: Tempo bom, sem indícios de chuva. Noite estrelada, sem nuvens.

Modelo 2: — Que pena! Se chovesse hoje à noite, nós plantaríamos amanhã.

O *modelo 1* expressa uma ação real no futuro (vou plantar), que depende de uma condição com grandes possibilidades de se realizar (se chover).

O *modelo 2* expressa uma ação hipotética (plantaria) que depende de uma condição (se chovesse) com pouca ou nenhuma possibilidade de se realizar. Portanto, é usado também para exprimir sonhos, fantasias, sugestões.

Complete os diálogos dirigidos considerando as definições acima:

1) — Eu li que a gasolina vai aumentar de novo.
— Xiii! Se _____ (aumentar) outra vez, eu vou ter de vender meu carro!

2) — Meu filho vive doente...
— É, se ele _____ (praticar) esportes, teria menos problemas de saúde.

3) — Doutor, eu garanto que a máquina vai funcionar perfeitamente.
— Tudo bem. Se esse negócio _____ _____ (funcionar) direitinho, eu te pago uma cerveja.

4) — Você gosta do cheiro desse perfume?
— Claro! Se eu não _____ (gostar), eu não _____ (usar).

5) — Não vai doer nada, nada, essa injeção.
— Não sei não... Se _____ (doer), eu _____ (gritar)!

6) — Vocês já vão embora? Ainda é cedo!
— Nós ficamos de chegar antes do jantar. Se a gente _____ (atrasar-se), minha mãe vira uma fera.
(ficar de = comprometer-se a)

7) — Garçom, me vê mais um uísque.
— Celso, não beba mais... Se você _____ (tomar) mais uma dose, _____ (ficar) de fogo. (= bêbado)

8) — Ela não lê jornal.
— É pena, se ela _____ (ler), _____ (saber) o que está acontecendo.

9) — Puxa! Esse negócio está caro demais!
— É mesmo! Se _____ (estar) mais barato, eu também _____ (comprar).

10) — O filho dela é arteiro demais!
— É verdade. Se ele não _____ (ser) tão levado, eu o _____ (convidar) para ir conosco.

Atenção:

Nem todo *se* introduz uma condição

SE + INDICATIVO

a) Eu não sei *se* ele vai chegar.
b) Eu perguntei *se* ela sabe nadar.
c) *Se* eu fumo demais, tenho dor de cabeça. (Neste caso *se* significa QUANDO, SEMPRE QUE, TODAS AS VEZES EM QUE.)
d) *Se* você gosta mesmo de doce — e eu sei que você gosta — coma mais um! (= já que)

VI) PRONOMES RELATIVOS

Você já conhece os pronomes relativos invariáveis: *que, quem, onde.*

OBSERVE

Eu aluguei um *apartamento.*
O apartamento tem dois quartos.

O apartamento *que* eu aluguei tem dois quartos.

Eu falei com *uma pessoa.*
A pessoa conhece você.

A pessoa *com quem* eu falei conhece você.

Eu almocei *num restaurante.*
O restaurante tem música ao vivo.

O restaurante *onde* eu almocei tem música ao vivo.

Agora, vamos conhecer os pronomes relativos variáveis:

o qual	os quais	cujo(s)
a qual	as quais	cuja(s)

Esse é *o navio.*
Eu viajei *no navio.*

Esse é o navio *no qual* eu viajei.

Essa é *a pessoa.*
Sem essa pessoa não teríamos feito nada.

Essa é a pessoa *sem a qual* não teríamos feito nada.

Eu falei *sobre computadores.*
Os computadores estão à venda.

Os computadores *sobre os quais* eu falei estão à venda.

Essas são *as atividades.*
Vocês participarão *delas.*

Essas são as atividades *das quais* vocês participarão.

Esse é *o aluno.*
O nome do aluno não consta da relação.

Esse é o aluno *cujo* nome não consta da relação.

Essas são as pessoas.
Sem *a ajuda dessas* pessoas não teríamos terminado o hospital.

Essas são as pessoas sem *cuja* ajuda não teríamos terminado o hospital.

Os apartamentos serão reformados.
Os banheiros desses apartamentos estão com problemas.

Os apartamentos *cujos* banheiros estão com problemas serão reformados.

Esse é *o homem.*
Nas mãos desse homem entregaremos nosso destino.

Esse é o homem em *cujas* mãos entregaremos nosso destino.

6. Una as frases usando: *que, quem* ou *onde*:

Exemplo:

O hotel pegou fogo. *O hotel* tem quinze andares.
O hotel que pegou fogo tem quinze andares.

Derrubaram *a casa*. *A casa* tinha mais de um século.

_____

Lá está *o homem*. Todos dependem *dele*.

_____

Esse é *o hospital*. Eu fui operado *nele*.

_____

Esses são os *sócios do clube*. As cartas serão enviadas *para eles*.

_____

7. Una as frases usando: *o(a) qual, os(as) quais, cujo(s), cuja(s)*:

Essas são *as plantas*. Eu lhe falei *delas* ontem.

_____

O candidato mora aqui. Estou fazendo propaganda *para ele*.

_____

Essa é a *caneta*. A princesa Izabel assinou a lei da abolição dos escravos *com ela*.

_____

Esses são os *diretores*. Nós confiamos *neles*.

_____

Essa é a *moça*. *O pai da moça* é senador.

_____

Esse é *o artista*. *As atividades dele* foram divulgadas pela "Veja".

_____

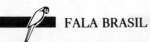

Campinas, 07 de agosto de 1989

Oi, Douglas

Acabei de receber a carta confirmando sua vinda para o Brasil. Já estou fazendo mil planos para nossas férias. Olhei na folhinha (calendário) e vi que você vai estar aqui durante o carnaval. Pô, cara! vai ser um barato! (Puxa amigo, vai ser sensacional!)

Bom, o carnaval do Rio de Janeiro, do qual provavelmente você já ouviu falar, é o mais famoso. Domingo e segunda as grandes escolas de samba — com até cinco mil pessoas! — desfilam na Avenida Marquês de Sapucaí. Vale a pena ver. As fantasias são lindas, os carros alegóricos são muito criativos e o efeito visual é incrível. É impossível ficar parado ao som do batuque das baterias. Você vai ficar de queixo caído.

Em Salvador, a gente dança vinte e quatro horas por dia atrás do som de um trio elétrico (que é um caminhão com uma superaparelhagem de som). São mais de vinte trios que invadem a cidade com uma música contagiante. Imagine a loucura!

Mas ainda não acabou. Em Recife o carnaval também é muito famoso. Lá se dança o frevo, que eu, particularmente, "curto" (gosto) muito. A grande característica do carnaval de Salvador e Recife é a participação de todos: moradores, turistas, todo mundo vai para as ruas dançar. Então, prepare suas pernas, porque descansar, só mesmo na quarta-feira de cinzas.

Douglas, escreva-me para eu saber o que você "está a fim" (está com vontade) de fazer, e assim "bolar" (organizar, planejar) nosso roteiro. Como você vê, eu usei algumas das gírias que você queria saber. Deu para entender?

Tchau "bicho" (cara, amigo)

Geraldo.

EXPRESSÃO ESCRITA

Escreva uma carta para um amigo brasileiro, convidando-o para alguma festa típica de sua região. Conte-lhe os detalhes da comemoração.

Sistematização

VII) Oração condicional: modelo 3.

Ela jogou mal, por isso perdeu.
Se ela tivesse jogado bem, não teria perdido.

Nós fizemos barulho, por isso ela acordou.
Se nós não tivéssemos feito barulho, ela não teria acordado.

Eles não vieram, por isso a reunião foi um fracasso.
Se eles tivessem vindo, a reunião teria sido um sucesso.

Eu reclamei, por isso a loja devolveu o dinheiro.
Se eu não tivesse reclamado, a loja não teria devolvido o dinheiro.

Resumindo:

SE... *TIVESSE* + *PARTICÍPIO* ..., ... TERIA + PARTICÍPIO

Exercício

8. Complete o diálogo do seu Juvenal com dona Ritinha:

— Eh, Juvenal! Atrasado de novo, hem? Qual é a desculpa hoje?

— O carro quebrou. Se o carro não _____ (quebrar), eu _____ (chegar) na hora.

— É, mas você podia ter avisado. Se você _____ (avisar), nós não _____ (ficar) preocupados.

— Gozado, quer dizer que a culpa é minha? Eu tentei avisar... Se você não _____ (sair), _____ (receber) meu telefonema.

— A culpa é da sua mãe. Se ela não _____ (pedir) para eu levá-la ao cabeleireiro, eu _____ (ficar) em casa. Aliás, se "o senhor" já _____ (comprar) aquela secretária eletrônica que eu queria, isso não _____ (acontecer).

VIII) Fácil, não? Agora observe a relação dos pressupostos com as condicionais, modelo 2 e modelo 3:

Modelo 2: Ana *trabalha* muito, por isso ganha bem.
Se ela não *trabalhasse* muito, *ganharia* mal.

Modelo 2: Pedro *viajava* bastante, por isso *via* pouco seu filho.
Se Pedro *viajasse* menos, *veria* mais o seu filho.

Modelo 3: Você não *abriu* a porta, por isso o cachorro *fez* xixi na sala.
Se você *tivesse aberto* a porta, o cachorro não *teria feito* xixi na sala.

9. Você percebeu bem as diferenças? Então, forme condicionais (modelos 2 e 3) a partir dos pressupostos a seguir:

O pneu furou, por isso larguei o carro na rua.

_____

Eu ponho essa carne no leite, por isso ela fica tão macia.

_____

O garoto quebrou o vidro com a bola, por isso a mãe bateu nele.

_____

O Carlos não presta muita atenção, por isso faz tantas perguntas.

_____

Minha sobrinha preencheu todos os requisitos, por isso foi contratada.

_____

As crianças não atrapalhavam, por isso nós as levávamos.

_____

Eu não tenho paciência, por isso não jogo xadrez.

_____

Ele não tomava cuidado, por isso se machucava tanto.

_____

Nós agimos com muito cuidado, por isso eles não perceberam.

_____

A irmã escolhia suas roupas, por isso Antônio se vestia tão bem.

_____

NOTA: NO MODELO 3, alguns verbos como QUERER, SABER, PODER não são muito usados nos tempos compostos:
Se eu *soubesse*, eu não teria vindo.
Se eu *pudesse*, eu teria viajado com ele.
Se eu *quisesse*, eu teria terminado o trabalho.
ou o inverso:
Se ele tivesse vindo, eu *saberia*.

IX) Algumas Regras de Acentuação Gráfica   [para consulta]

1) Palavras monossílabas (uma só sílaba):
   São acentuadas somente as tônicas (de som forte) terminadas em:
   Exemplos: mulher *má*, *pó* de café, *pés* grandes

   A
   E   seguidas ou não de S
   O

2) Palavras com duas ou mais sílabas:
   a) Oxítonas (isto é, com acento tônico na *última sílaba*) ⟹ ☐ [x]

   São acentuadas as oxítonas terminadas em ⟹
   A
   E   seguidas ou não de S
   O
   EM
   ENS

   Exemplos: atrás, português, alguém, parabéns

b) Paroxítonas (isto é, com a *penúltima sílaba* mais forte)

x	

São acentuadas as paroxítonas terminadas em LINURXÃO

L   X
I - seguido ou não de S   Ã} - seguido ou não de S
N   O} - seguido ou não de S (representando os ditongos nasais ou orais)
U - seguido de S
R

Exemplos: fácil, lápis, hífen, vírus, açúcar, tórax, órfã, comércio

c) Proparoxítonas (isto é, com a *antepenúltima sílaba* mais forte)

x		

Exemplos: lâmpada, trágico, cômico, andávamos, bebêssemos

3) Regras genéricas:

a) Os ditongos tônicos abertos, seguidos ou não de S, são acentuados em qualquer palavra.
   Exemplos: papéis, céu, heróico, réus

> **NOTA:** ditongos abertos: éi/ ξ y/,éu/ ξ w/,ói/ $\supset$ y/
> ditongos fechados: ei/ey/,eu/ew/,ou/ow
> (peixe, sou)

b) Hiatos = encontro de duas vogais. I e U levam acento quando formam hiato com a vogal anterior e estão sozinhos na sílaba tônica, ou seguidos de S.
   Exemplos: gra-ú-do, ba-ú, a-í, fa-ís-ca, e-go-ís-ta, ju-í-zes
   Exceção: quando o hiato é seguido de NH: ra-i-nha.

4) Acentos Diferenciais:

Pára (verbo parar) leva acento para se diferenciar de *para* (preposição)
Pôr (verbo) leva acento para se diferenciar de *por* (preposição)

X) Outros usos do Futuro do Subjuntivo

Você já conhece o uso do Futuro do Subjuntivo nas condicionais.
Modelo 1: Se você quiser, eu vou com você.

Agora observe seu uso com as conjunções abaixo:

Quando
Assim que
Logo que   você sair, tranque bem a porta.
Sempre que
Depois que

Enquanto   eu estiver no hospital, ela vai tomar conta das crianças.

À medida que   ele tomar o remédio, vai melhorar
À proporção que

Quanto mais   você se esforçar, mais vai aprender.

Como (= conforme): Não se preocupe. Você pode pagar *como* puder, em três, quatro vezes...

> NOTE que essas conjunções pedem o Subjuntivo quando se referem a uma ação não realizada. Em outras situações, usamos o Indicativo:
>
> Quando eu saí, tranquei bem a porta.
> Quando eu saía, trancava bem a porta.
> Quando eu saio, tranco bem a porta.
> Eu paguei como eu pude.
> etc.

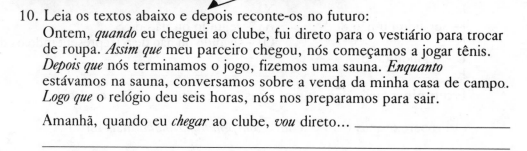

10. Leia os textos abaixo e depois reconte-os no futuro:

Ontem, *quando* eu cheguei ao clube, fui direto para o vestiário para trocar de roupa. *Assim que* meu parceiro chegou, nós começamos a jogar tênis. *Depois que* nós terminamos o jogo, fizemos uma sauna. *Enquanto* estávamos na sauna, conversamos sobre a venda da minha casa de campo. *Logo que* o relógio deu seis horas, nós nos preparamos para sair.

Amanhã, quando eu *chegar* ao clube, *vou* direto... _____

_____

_____

_____

_____

_____

Minha namorada se mudou para São Paulo. *Sempre que* eu vou para lá a negócios, eu almoço com ela. Por isso não reclamo mais *quando* meu chefe pede para eu viajar. *Quanto mais* negócios eu tenho para resolver na capital, mais oportunidades eu tenho de vê-la.

Minha namorada vai se mudar para... _____

_____

_____

_____

_____

_____

11. Faça pelo menos duas frases usando o Futuro do Subjuntivo para cada uma das conjunções que você aprendeu.

> ### Observação:
> Essas mesmas conjunções podem aceitar o Imperfeito do Subjuntivo como, por exemplo, no discurso indireto.
> Ele disse:
> — Quando puder, eu vou viajar.
> Ele disse que quando puder, vai viajar. Ou:
> Ele disse que quando *pudesse*, viajaria.

RESUMO

Situação: Emergência - encanador
médico à noite

Texto: Cartas (sobre carnaval)
(resposta à carta anterior)

MÚSICA

Hora da Razão

GRAMÁTICA

1. Formação do Futuro: Imperfeito do Subjuntivo.
2. Sentenças Condicionais (Modelos 1, 2 e 3).
3. Conjunções que pedem o Futuro do Subjuntivo.
4. Família de Palavras: sufixos formadores de substantivo.
5. Pronomes relativos.
6. Regras de acentuação gráfica.

EXPRESSÕES (E ALGUMAS GÍRIAS)

afinal de contas
algo me diz
mal (mal cheguei/posso respirar)
nem... direito (nem cheguei direito)
me vê (= me dá)
ficar de (ficar de passar/chegar etc.)
de fogo
deixar de
cair o queixo
pô
cara
bicho
estar a fim
um barato
curtir
bolar

O SENHOR NÃO TEM NADA, SEU SILVA!

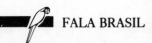

Unidade XIII

Distância em linha reta entre Brasília e as capitais estaduais

De Brasília a	Distância em km
Porto Velho	1.920
Rio Branco	2.260
Manaus	1.940
Boa Vista	2.490
Belém	1.575
Macapá	1.770
São Luís	1.495
Teresina	1.260
Fortaleza	1.660
Natal	1.750
João Pessoa	1.685
Recife	1.620
Maceió	1.455
Aracaju	1.270
Salvador	1.030
Belo Horizonte	725
Vitória	955
Rio de Janeiro	940
São Paulo	890
Curitiba	1.110
Forianópolis	1.260
Porto Alegre	1.650
Cuiabá	925
Campo Grande	850
Goiânia	125

MÚSICA

Tomara
Vinícius de Moraes
Canta: Vinícius e Marília Medalha

Tomara que você volte depressa
Que você não se despeça
Nunca mais do meu carinho
Que chore, se arrependa e pense muito
Que é melhor se sofrer junto
Que viver feliz sozinho

Tomara que a tristeza lhe convença
Que a saudade não compensa
E que a ausência não dá paz
E o verdadeiro amor de quem se ama
Tece a mesma antiga trama
Que não se desfaz

E a coisa mais divina que há no mundo
É viver cada segundo
Como nunca mais

Sistematização

I) Presente do Subjuntivo

Você já aprendeu a formação do IMPERATIVO na *Unidade VII*.
O Presente do Subjuntivo tem a mesma formação:

	1ª pessoa do *Presente* do Indicativo		
VOLT*AR*:	EU <u>VOLT</u> (O)	—	*AR* (terminação)
	↓		↓
	VOLT	—	E
	VOLT	—	E
	VOLT	—	EMOS
	VOLT	—	EM
TRAZ*ER*:	EU <u>TRAG</u> (O)	—	*ER*
	↓		↓
	TRAG	—	A
	TRAG	—	A
	TRAG	—	AMOS
	TRAG	—	AM
DORM*IR*:	EU <u>DURM</u> (O)	—	*IR*
	↓		↓
	DURM	—	A
	DURM	—	A
	DURM	—	AMOS
	DURM	—	AM

1. Complete:

FALAR: eu falo - fale, fale, falemos, falem.

GOSTAR: eu gosto - goste, goste, gostemos, gostem.

LER: eu leio - leia, _____, _____, _____

TER: eu tenho - _____

VIR: eu venho - _____

PODER: _____

SENTIR: _____

ENTERRAR: _____

PERDER: _____

DIZER: _____

FAZER: _____

OUVIR: _____

PRETENDER: _____

FINGIR: _____

VER: _____

MENTIR: _____

PENSAR: _____

II) Alguns verbos não obedecem a essa formação. São os mesmos do IMPERATIVO. Vamos relembrar?

SER	*seja, seja, sejamos, sejam*
ESTAR	*esteja, esteja, estejamos, estejam*
IR	*vá, vá, vamos, vão*
DAR	*dê, dê, demos, dêem*
SABER	*saiba, saiba, saibamos, saibam*
QUERER	*queira, queira, queiramos, queiram*
HAVER	*haja, haja, hajamos, hajam*

III) Observe o uso do Presente do Indicativo e do Subjuntivo numa mesma situação:

1) Retire do cesto as laranjas que *estão* podres.
2) Retire do cesto as laranjas que *estejam* podres.

Na sentença 1 temos certeza de que há laranjas podres no cesto, enquanto a sentença 2 sugere julgamento, eventualidade, dúvida.

Equivale a: Retire do cesto as laranjas que *estão* podres, *se* houver laranjas podres no cesto.

Essa é uma explicação bem geral para você "sentir" melhor o uso do Presente do Subjuntivo. Para facilitar, veja a lista de alguns verbos e expressões que — exprimindo DÚVIDA, SENTIMENTO, DESEJO, VONTADE, PEDIDO, ORDEM - pedem o uso do Subjuntivo:

Duvido que
Pode ser que
Não acredito que
Não estou certo (de) que
Suponho que
Talvez
Tenho medo (de) que
Estou contente (com o fato de) que
Que pena que
Lamento que
Sinto que
Receio que

Espero que
Desejo que
Aconselho que
Não admito que
Prefiro que
Sugiro que
Tomara que
Faço questão (de) que
Exijo que
Proíbo que
Peço que
Quero que

Diálogos Dirigidos

Complete os diálogos dirigidos com o Presente do Subjuntivo:

1) — Esse camarão está com um cheiro esquisito...
— Ih!... Tomara que não _____ (estar) estragado.

2) — Dr. Alfredo, não se esqueça de que o senhor tem um casamento às seis horas.
— Nossa, é mesmo! Espero que _____ (dar) tempo de chegar lá... A igreja fica do outro lado da cidade!

3) — Duvido que o Palmeiras _____ (ganhar) o jogo domingo.
— Não sei não... Vai ser uma partida difícil. Por falar nisso, você já comprou as entradas?

4) — João, não me leve a mal, mas eu prefiro que você não _____ (trazer) o Ademar para nossa reunião.
— Tudo bem, eu entendo.

5) — E então? Vamos jantar lá em casa na quarta-feira que vem? Faço questão que você _____ (escolher) seu prato favorito.
— Imagine! Eu gosto de tudo... menos de bife de fígado.

6) — Eu sou fã desse cantor. Que pena que ele _____ (querer) parar de cantar!
— Ah! eu não acredito que ele _____ (fazer) isso.

7) — Pai, pode ser que eu _____ (ir) de carro para o Pantanal.
— Então, meu filho, eu aconselho que você _____ (trocar) os pneus do carro.

8) — Suponho que vocês _____ (saber) o que estão fazendo...
— Não se preocupe. Nós já consultamos um advogado.

9) — Tenho medo que a faxineira _____ outra vez amanhã. (faltar)
— Se ela faltar de novo, quero que você _____ (contratar) outra. Não admito que ela nos _____ (fazer) de bobos.

10) — Você sabe que o meu problema é grave.
— É, eu sei e lamento que eu não _____ (poder) fazer nada. Mas talvez meu irmão _____ (ser) a pessoa certa para ajudá-lo.

11) — O Antônio e a família vão chegar hoje à noite?
— Não estou certo de que eles _____ (vir) ainda hoje. Talvez eles _____ (chegar) só amanhã.

12) — Alô? João? Aqui é o Romeu. Olha, eu estou com uma gripe danada e uma tosse horrível. Não vou poder viajar com vocês.
— Que pena! Eu realmente sinto que você não _____ (poder) ir conosco. Vai ser um fim de semana ótimo.

13) — Senhoras e senhores. Peço que todos _____ (escutar) com atenção o pronunciamento do novo Ministro do Planejamento que blá, blá, blá, blá, blá, blá, blá, blá,...
— Olha lá, Zé. O ministro vai falar.
— Espero que ele _____ (ser) breve e objetivo. O outro falava, falava, e ninguém entendia nada.

14) — Puxa, Pedro! Estou contente que você _____ (estar) aqui.
[Passageiros do vôo 765 com destino a Paris, Roma...]
— Márcia, é o seu vôo! Bom, desejo que você _____ (fazer) uma boa viagem e _____ (aproveitar) bastante.

15) — Meu chefe é muito rigoroso. Ele exige que eu _____ (pôr) tudo no lugar antes de ir embora.
— O meu também. Ele até proíbe que a gente _____ (fumar) durante o expediente.

Não se esqueça: depois de corrigir, praticar!

Exercício

2. UMA REVISÃO DE PREPOSIÇÕES. Complete se for necessário:

Será que você pode emprestar seu casaco _____ mim?

O médico disse que ele deve fazer uma dieta e deixar _____ fumar.

Você pretende _____ fazer que faculdade?

Você me ensina _____ dirigir?

Ele fez questão _____ pagar a conta.

Ele se envergonhou _____ não ter confiado _____ seu amigo.

Nós acabamos _____ voltar _____ escola.

Como é que eu faço _____ chegar até lá?

Ele não se conformou _____ a morte da esposa.

Você pode me ajudar _____ lavar os pratos depois do jantar?

Eu gosto _____ jogar cartas _____ os amigos.

Preciso _____ comprar um casaco novo.

Eu vou pedir _____ um uísque duplo com gelo.

Murilo se arrependeu _____ não ter viajado _____ os amigos.

O cachorro do vizinho fugiu _____ casa ontem.

a mulher: O teatro começa às nove horas e você ainda nem se vestiu?
o marido: Calma, meu bem. Já estou indo. Que roupa eu ponho?
a mulher: Aquela camisa xadrezinha. Está na prateleira do meio, à esquerda, atrás das camisetas.
o marido: Huuuumm, deixa eu ver... Na prateleira de cima, à direita... Não estou conseguindo achar essa maldita camisa! Regina! Regina!
a mulher: Já vou, Adolfo! Estou me pintando!
o marido: O que falta nessa casa é organização... Que coisa!

Faça uma crítica ao relacionamento do casal.

Sistematização

IV) Formas Compostas do Presente do Subjuntivo

Como você deve ter notado, o Presente do Subjuntivo foi usado para se referir a duas noções:

Presente: Será que ele *sabe*? — Espero que ele *saiba*.
Futuro : Será que ele *vai gostar*? — Espero que ele *goste*.

Agora compare com as outras possibilidades: *presente contínuo* (será que ele está gostando?) e *pretérito perfeito* (será que ele gostou?):

Presente Contínuo: Será que ele *está gostando*? Espero que ele *esteja gostando*.
Pretérito Perfeito: Será que ele *gostou*? Espero que ele *tenha gostado*.

> **NOTA:**
> Antes da festa: — Espero que você *goste* da festa.
> Durante a festa: — Espero que você *esteja gostando* da festa.
> Depois da festa: — Espero que você *tenha gostado* da festa.

— Você acha que o Eduardo *sabe* o que aconteceu?
— Não sei, talvez ele *saiba*.

— Será que *vai chover* amanhã?
— É, pode ser que *chova*.

— As luzes estão acesas. Você·acha que eles ainda *estão trabalhando?*
— Já é tarde. Talvez eles *estejam terminando* a reunião.

— Seu time *ganhou* o jogo?
— Ainda não li os jornais, mas espero que *tenha ganho*.

3. Responda usando *talvez, espero que, duvido que, tomara que...*

Preste atenção ao tempo dos verbos:

Presente ou Futuro	Presente Contínuo	Pretérito Perfeito
↓	↓	↓
Presente do Subjuntivo	esteja + gerúndio	tenha + particípio

a) Você acha que ele *gosta* de feijoada?
b) Você acha que eles *vão comprar* mesmo aquela casa?
c) Será que ela já *está providenciando* tudo para a festa?
d) Você sabe se ele *encontrou* os óculos?
e) Será que esse cachorro *morde*?
f) Você acha que ele *vai arrumar* um bom emprego?
g) Será que eles *viram* a gente?
h) Você acha que eles *estão mentindo?*
i) Você sabe se ela *convidou* os tios?
j) Será que ela *está nos escondendo* alguma coisa?
l) Você acha que ele *vai conseguir* o empréstimo?
m) Onde será que ele *pôs* as chaves?
n) Por quanto ele *vai vender* o carro?
o) Quem você acha que *vai conseguir* o emprego? O Paulo ou o Antônio?
p) O que você acha que ele *está planejando* fazer?

V) As Expressões Impessoais abaixo também pedem o uso do Subjuntivo:

é possível que	basta que
é provável que	convém que
é pena que	é melhor que
é necessário que	é lamentável que
é importante que	é preciso que
é bom que	é incrível que

PARA COMPLETAR: Preste atenção ao contexto e use as três formas:

presente ou futuro   →   fale
presente contínuo   →   esteja falando
pretérito perfeito   →   tenha falado

1) — *Estou* morto de dor de estômago! Será que *é* grave?
    — Não sei... É melhor que você _____ (procurar) um médico.

2) — Você *viu* o show do Milton Nascimento ontem na televisão?
    — Não, não vi.
    — É pena que você não _____ (ver). Foi ótimo!

3) — O que eles *precisam* fazer para participar do concurso?
    — Basta que eles _____ (preencher) esse formulário.

4) — Alô? Plínio? Você não *vem* para a reunião?
    — Já estou saindo. É provável que eu _____ (chegar) em meia hora.
    — É bom que você _____ (vir) logo, porque só está faltando você para a gente começar.

5) — O que está acontecendo com o Ernesto? Não consigo falar com ele.
    — A mulher dele *está viajando*. É possível que ele _____ (passar) uns dias com os pais.

6) — Mas eu nem *terminei* a universidade!
    — Tudo bem. Para ocupar esse cargo não é necessário que você _____ (concluir) a faculdade.

7) — Doutor, eu já *posso* ir ao clube?
    — Não, convém que você _____ (ficar) de repouso por mais dois dias.

8) — Você sabia que o prefeito *decidiu* proibir a festa?
    — É lamentável que ele _____ (tomar) essa decisão.

9) — O resultado do vestibular *sai* amanhã. Você *está* nervoso?
    — Nervoso? Estou uma pilha! É provável que eu nem _____ (dormir) essa noite.
    — Calma! É bem possível que você _____ (passar). Você se preparou tanto!

10) — Você viu o que a chuva de ontem fez?
    — Pois é, *derrubou* mais de vinte barracos na favela.
    — É incrível que ninguém _____ (morrer)!

EXPRESSÃO ESCRITA - Formule comentários a respeito das situações abaixo usando a forma simples ou as compostas do Presente do Subjuntivo:

a) Você estaciona o carro num lugar proibido somente por cinco minutos para pegar suas malas no hotel. Quando você chega, o guarda já ia multar seu carro. Tente convencê-lo a não fazer isso usando "Eu espero que..."

b) Um amigo seu de outra cidade vem passar o fim de semana em sua casa. Ele disse que chegaria às sete e já são dez horas. Formule um desejo começando com "Tomara que..."

c) Na sexta-feira vai passar um ótimo filme na televisão, mas você tem um compromisso importante. Faça um comentário usando "Que pena que..."

d) O jornal traz as últimas notícias do terremoto e diz que a terra pode voltar a tremer. Faça comentários, usando "Tenho medo que..."

e) Sua amiga diz que o marido vai vender a casa que eles nem acabaram de pagar. Faça um comentário usando "É lamentável que..."

f) O gerente do banco liga para avisar que a sua conta "estourou". Você responde usando "Não é possível que..."

g) Sua secretária chega com duas horas de atraso. Você fica muito bravo e faz uma advertência usando "Não admito que..."

h) Está chovendo e você pretende ir ao clube no final de semana. Formule um desejo usando "Tomara que..."

i) Você entra na loja e pergunta sobre o equipamento que encomendou. O vendedor responde que vai verificar. Você faz um comentário usando "Eu espero que..."

j) Você quer fazer uma visita surpresa aos seus pais, mas acha que eles podem estar viajando. Faça um comentário usando "Receio que..."

l) No noticiário da televisão aparece um homem dizendo que vai atravessar o Atlântico a nado. Você comenta usando "Duvido que..."

m) No noticiário da televisão aparece a chegada do homem que atravessou o Atlântico a nado. Você fica surpreso e faz um comentário usando "É incrível que..."

O ROBÔ

Luis Fernando Veríssimo

Um dia ele chegou em casa com um robô. O robô era baixinho, redondo e andava sobre rodinhas. A mulher achou engraçado, mas sentiu uma ponta de apreensão. Para que um robô em casa?

— Olhe só — disse o marido. E, dirigindo-se ao robô, disse: — Seis! — O robô foi até o quarto do casal e de lá trouxe os chinelos do homem e sua suéter de ficar em casa. Voltou para o quarto levando o paletó, a gravata e os sapatos.

— Mas isso é fantástico — disse a mulher, sem muita animação.

— Ele está programado para só obedecer à minha voz — explicou o homem.

Estava tão entusiasmado com o seu robô que a mulher decidiu não lembrar a ele que naquele dia eles faziam dez anos de casados. Ele continuou:

— É um código. De acordo com o número que eu digo, ele sabe exatamente o que fazer.

— Sim.

— Os números vão de um a 100 e obedecem a uma seqüência que corresponde, mais ou menos, à importância relativa das tarefas. Entendeu?

— Entendi.

Se ela não tivesse dito nada, seria a mesma coisa, porque o homem não a escutava. Olhava para o robô como um dia, dez anos antes, olhara para ela. Pelo menos ela ficou sabendo que, os chinelos que lhe trazia todos os dias quando ele entrava em casa, correspondiam a seis.

Depois do jantar, quando ela começou a limpar a mesa, ele a deteve com um gesto. Disse para o robô:

— Sessenta e um!

O robô rapidamente tirou os pratos da mesa, botou tudo dentro da máquina de lavar pratos, ligou a máquina e voltou para aguardar novas instruções.

Mais tarde, quando o marido disse "Que tal um joguinho de cartas?", ela levantou-se, alegremente, para pegar o baralho. Logo descobriu que o marido falava com o robô.

— Dezoito!

O robô correu na frente dela, pegou o baralho, pegou o bloco de papel e um lápis, arrumou a mesa para o jogo e ficou esperando. Ele sentou-se para jogar cartas com o robô. Ela perguntou:

— Posso jogar também?

— Esse jogo é só para dois — disse o marido. — Você pode ir se deitar. Se quiser.

— Você não vai querer mais nada?

— O que eu precisar, o robô pega.

Do quarto, ela ficou ouvindo o marido dizer, a intervalos, "vinte e seis" ou "trinta e um", e o ruído do robô, na cozinha, pegando cerveja, salgadinhos etc.

Tomou uma decisão.

Levantou-se e foi até a sala. De camisola.

— Querido...

— Você não estava dormindo?

— Não.

— Nós fizemos muito barulho?

— Não.

— Então o que é?
— Tem uma coisa que eu faço que esse robô não faz.
— O quê?
— Uma coisa de que você gosta muito.
— Você quer dizer...
— Arrã — sorriu ela.
— É o que você pensa — disse ele. E, para o robô:
— Um!

Aí o robô correu até a cozinha e começou a reunir os ingredientes para fazer uma musse de chocolate.

Grupos feministas a apoiaram ruidosamente durante o julgamento, com toda a razão.

Ícaro, n.º 35, Revista de Bordo VARIG

EXPRESSÃO ORAL E ESCRITA
O que você faria (ou teria feito) se fosse a mulher do homem do robô?

Sistematização

VI) Vamos retomar as sentenças condicionais que você aprendeu e aprofundar o seu uso:

Modelo 1: Se você quiser, eu posso ajudá-la.
Modelo 2: Se eu fosse você, não faria isso.
Modelo 3: Se elas tivessem me avisado, eu não teria contado nada.

Agora observe como podemos combinar os modelos 2 e 3:

Modelo 4: Se eu *tivesse comido* de manhã, eu não *estaria* com fome agora.
Modelo 5: Se ele *usasse* cinto de segurança, ele não *teria se machucado* no acidente.

Veja como fica mais claro através dos pressupostos:

Modelo 4: Eu não *comi* de manhã, por isso *estou* com fome agora.

       passado   presente

Modelo 5: Ele não *usa* cinto de segurança, por isso se *machucou* no acidente.

       presente   passado

4. Transforme em sentenças condicionais (modelos 4 e 5):

Ele não *é* meu filho, por isso não *dei* um tapa nele.

Se ele _____ , eu _____

Ela não *joga* muito bem, porque *quebrou* a perna quando era criança.

Ela _____ , se não _____

Ele *construiu* uma piscina em casa, por isso *vem* pouco ao clube.

Se ele não _____ , ele _____

O Reinaldo não *comprou* o computador, porque ele não *sabe* usá-lo.

O Reinaldo _____ , se _____

A festa não *foi* muito animada porque *tinha* (ou *havia*) muito pouca gente.

A festa _____ , se _____

5. Continue agora, com todos os modelos de condicionais que você aprendeu:

Ela é minha amiga, mas naquele momento não foi, por isso não me emprestou o dinheiro.

Ela não é minha amiga (e nunca foi), por isso não me emprestou o dinheiro.

_____

Nós não sabíamos que iam servir lagosta, por isso não fomos à festa.

_____

Eu não tenho dinheiro, por isso não compro uma moto.

_____

Você vai tirar os brinquedos dele? Não faça isso! Ele vai chorar.

_____

Nessa época do ano faz muito calor, por isso não fomos à Bahia com eles.

_____

Eu andei muito, por isso estou tão cansado agora.

_____

Eu não falo alemão, por isso não converso com ele.

_____

Não se mexa! Eu dou um tiro em você!

_____

Eu não posso, por isso não vou com você para São Paulo.

_____

Não vai chover, por isso iremos.

_____

Você bebeu muito, por isso está com dor de cabeça.

_____

Ele não sabia de nada, por isso ficou tão zangado.

_____

Não diga isso de novo! Eu bato em você!

Eu não podia, por isso não fui com você para São Paulo.

Eu não prestei muita atenção à aula, por isso estou tão atrapalhado agora.

Será que eu vou para a praia? Acho que vai chover...

Eu não conheço bem aquela senhora, por isso não a cumprimentei.

Nós não vamos almoçar com minha tia, porque não vamos a São Paulo amanhã.

O passeio foi cancelado porque choveu.

Ele não toma cuidado, por isso fica sempre doente.

Ela morreu porque o médico chegou muito tarde.

VII) Esses são os casos mais comuns de condicionais formados a partir da conjunção SE. Existem outros, mas você não terá dificuldades em reconhecê-los:

Se não *estiver chovendo* amanhã cedo, vou jogar tênis.
Se ele não *estivesse trabalhando* tanto, poderia ir conosco.
Se você não *tiver melhorado* até amanhã cedo, eu vou levá-lo ao médico.

Apresentamos a seguir o quadro completo dos tempos simples e compostos do Subjuntivo:

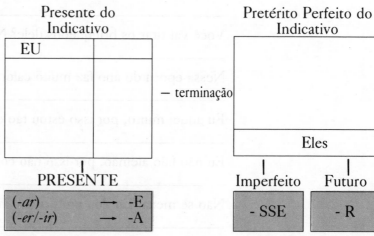

COMPOSTOS:

ESTEJA + gerúndio	ESTIVESSE + gerúndio	ESTIVER + gerúndio
TENHA + particípio	TIVESSE + particípio	TIVER + particípio

Veja outras frases com os novos compostos:

Enquanto você *estiver estudando*, estarei trabalhando.
Quando eu *tiver terminado* meu trabalho, ele já terá saído.
Vou ligar para ela. Se ela ainda não *tiver acabado* aquele maldito relatório, vou despedi-la.
Se você não *estivesse estudando* para o vestibular, a gente poderia sair para um chopinho...

VIII) QUE *SE* É ESSE?

a) *se* como pronome apassivador:

Quando você aprendeu voz passiva (*Unidade XI*), você deve ter notado que só verbos que se ligam *diretamente* ao complemento (*sem* preposição) admitem a voz passiva:

Voz Ativa	*Voz Passiva*
1) Eles riram muito.	Não há (porque não existe complemento).
2) Eles precisam *de* pedreiros.	Não há (pois o complemento é ligado *indiretamente*, através da preposição "de").
3) Eles vendem *casas*.	*Casas são vendidas*

Agora observe um outro tipo de voz passiva (com o pronome *se* no lugar do verbo *ser*):

3) *Casas são vendidas*, equivale a:
Vendem-se casas.

Nesta sentença, *casas* continua sendo o sujeito, da mesma forma que na anterior. Por isso o verbo está no plural (vende*m*), concordando com seu sujeito (casa*s*).

b) *se* como sujeito indeterminado

Na *Unidade IX* você aprendeu a expressar um sujeito indeterminado colocando o verbo no plural:

Dizem que ela não sabe de nada.
Viram João com seu pior inimigo.
Precisavam de engenheiros naquela firma.
Riram dele.

Há uma outra maneira de se indeterminar o sujeito: com *se*. Mas note que isso só é possível com sentenças do tipo 1 (Riram muito) e do tipo 2 (Precisam de pedreiros). Como elas não são passivas, esse *se* tem outra função: ele indetermina o *sujeito*. Nesse caso, o verbo permanece sempre no singular:

R*iu*-se muito.
Preci*sa*-se de pedreiros.

Observação: Essas formas são muito usadas em anúncios, como você vai verificar a seguir. Note que, apesar de a gramática normativa condenar, há uma tendência em se deixar o verbo no singular também em sentenças do tipo 3 (vende-se casas).

RESUMO

Texto: O Robô

SINTO-ME TÃO PROTEGIDA COM VOCÊ!

GRAMÁTICA

1. Presente do Subjuntivo.
2. Formas Compostas do Subjuntivo.
3. Condicionais com a Conjunção *SE* (Modelos 4 e 5).
4. Pronome apassivador *SE*.
5. *SE* como índice de indeterminação do sujeito.

EXPRESSÕES

por falar nisso
levar a mal
fazer de bobo
estar uma pilha

MÚSICA

Tomara

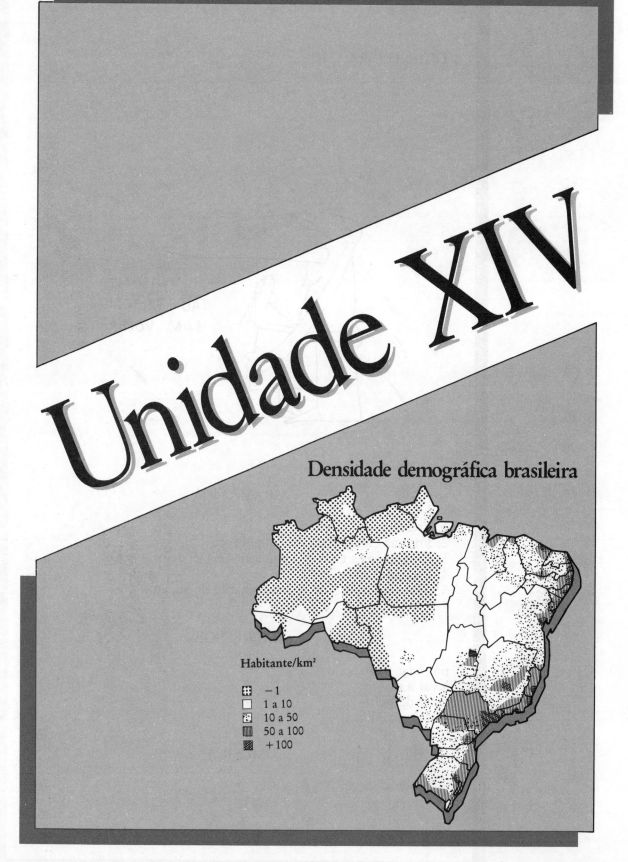

Unidade XIV

Densidade demográfica brasileira

Habitante/km²

- ▦ −1
- ☐ 1 a 10
- ▦ 10 a 50
- ▦ 50 a 100
- ▦ +100

NO RESTAURANTE

Carlos Drummond de Andrade

— Quero lasanha.

Aquele anteprojeto de mulher — quatro anos, no máximo, desabrochando na ultraminissaia — entrou decidido no restaurante. Não precisava de menu, não precisava de mesa, não precisava de nada. Sabia perfeitamente o que queria. Queria lasanha.

O pai, que mal acabara de estacionar o carro em uma vaga de milagre, apareceu para dirigir a operação-jantar, que é, ou era, da competência dos senhores pais.

— Meu bem, venha cá.

— Quero lasanha.

— Escute aqui, querida. Primeiro, escolhe-se a mesa.

— Não, já escolhi. Lasanha.

— Que parada — lia-se na cara do pai. Relutante, a garotinha condescendeu em sentar-se primeiro, e depois encomendar o prato:

— Vou querer lasanha.

— Filhinha, por que não pedimos camarão? Você gosta tanto de camarão.

— Gosto, mas quero lasanha.

— Eu sei, eu sei que você adora camarão. A gente pede uma fritada bem bacana de camarão, tá?

— Quero lasanha, papai. Não quero camarão.

— Vamos fazer uma coisa. Depois do camarão a gente traça uma lasanha. Que tal?

— Você come camarão e eu como lasanha.

O garçom aproximou-se, e ela foi logo instruindo:

— Quero lasanha.

O pai corrigiu:

— Traga uma fritada de camarão pra dois. Caprichada.

A coisa amuou. Então não podia querer? Queriam querer em nome dela? Por que é proibido comer lasanha? Essas interrogações também se liam no seu rosto, pois os lábios mantinham reserva. Quando o garçom voltou com os pratos e o serviço, ela atacou:

— Moço, tem lasanha?

— Perfeitamente, senhorita.

O pai no contra-ataque:

— O senhor providenciou a fritada?

— Já, sim, doutor.

— De camarões bem grandes?

— Daqueles legais, doutor.

— Bem, então me vê um chinite, e pra ela... O que é que você quer, meu anjo?

— Uma lasanha.

— Traz um suco de laranja pra ela.

Com o chopinho e o suco de laranja veio a famosa fritada de camarão, que, para surpresa do restaurante inteiro, interessado no desenrolar dos acontecimentos, não foi recusada pela senhorita. Ao contrário, papou-a, e bem. A silenciosa manducação atestava, ainda uma vez, no mundo, a vitória do mais forte.

— Estava uma coisa, hem? — comentou o pai, com um sorriso bem alimentado. — Sábado que vem a gente repete... Combinado?

— Agora a lasanha, não é, papai?

— Eu estou satisfeito. Uns camarões tão geniais! Mas você vai comer mesmo?

— Eu e você, tá?

— Meu amor, eu...

— Tem de me acompanhar, ouviu? Pede a lasanha.

O pai baixou a cabeça, chamou o garçom, pediu. Aí, um casal, na mesa vizinha, bateu palmas. O resto da sala acompanhou. O pai não sabia onde se meter. A garotinha, impassível. Se, na conjuntura, o poder jovem cambaleia, vem aí, com força total, o poder ultrajovem.

EXPRESSÃO ESCRITA

Vamos comentar o texto?
O que você achou do comportamento do pai? E da filha? Use o roteiro de narração da *Unidade X* enriquecendo-o com expressões que pedem Subjuntivo.

Situação 1

Vamos supor que numa das mesas do restaurante da crônica "No Restaurante" esteja uma moça com sua avó, uma velhinha que além de meio surda, é muito curiosa:

Avó: Eu não estou ouvindo direito. O que está acontecendo aí na mesa ao lado?
Neta: O pai da menina quer que ela coma camarão, embora ela queira lasanha.
Avó: E agora?
Neta: Por mais que a garotinha insista, o pai não abre mão do camarão.
Avó: Que coisa, hem? Ainda que ela seja bem pequena, tem o direito de escolher o que comer!
Neta: Vovó, pelo amor de Deus, fale mais baixo, antes que eles nos escutem!
Avó: E daí? Caso ele ouça, não vai fazer nada... A não ser que, além de chato, seja também mal-educado!
Neta: Mas vovó...
Avó: Psiu! Eles estão recomeçando... E então?
Neta: O pai está sugerindo que eles comam a lasanha depois do camarão.
Avó: Que malandro! Ele está é enrolando a menina! Quero só ver no que vai dar isso! Veja, Verinha! Chegou o camarão. Ah, essa não! Eu não acredito que ela esteja comendo!
Neta: Está vendo, vovó? Era birra. O pai deve conhecer bem a filha que tem. Ele faz isso para que ela não se torne uma menina mimada. Olhe só, ela comeu tudo e... Ai ai ai... Ela não se esqueceu da lasanha! Agora está exigindo que o pai faça o que prometeu!
Avó: Puxa! Depois daquela pratada? Menininha de opinião! Merece uma salva de palmas!
Neta: Já estão batendo palmas, vovó... Ai, meu Deus, coitado do pai! Que vexame!...

Sugestão: Que tal montar um teatrinho?

I) Vamos sistematizar as conjunções que a avó e a neta usaram:

Grupo I

PARA QUE
A FIM DE QUE

Estou economizando *para que* meus filhos possam viajar para a Europa.
Convoquei esta reunião *a fim de que* todos saibam o que está acontecendo.

Grupo II

ANTES QUE
ATÉ QUE

É melhor você sair daqui *antes que* eu perca a cabeça!
Nós vamos ficar plantados aqui *até que* ele nos receba.

Grupo III

CONTANTO QUE
A MENOS QUE
A NÃO SER QUE
CASO
DESDE QUE

Bom, as crianças podem ir conosco, *contanto que* se comportem.
Não vou conseguir pagar o novo aluguel, *a menos que* eu seja promovido.
Tenho certeza de que eles vão aceitar o convite, *a não ser que* eles já tenham um outro compromisso.
Você pode deixar o recado com a vizinha, *caso* eles já tenham viajado.
Você pode usar minhas ferramentas, *desde que* não as estrague.

Grupo IV

EMBORA
MESMO QUE
NEM QUE
AINDA QUE
POR MAIS QUE

Embora esteja chovendo, ela vai sair.

Mesmo que me ofereçam o dobro, não vou vender esse carro.
Vou entrar, *nem que* eu tenha de derrubar a porta!
Não vou me casar com você, *ainda que* você me peça de joelhos.

Por mais que eu tente, não consigo entender a economia do Brasil.

Exercícios

1. Reescreva as frases, utilizando as expressões entre parênteses:

a) Vou sair antes de chover. (antes que)
b) Se acontecer alguma coisa, eu não vou. (caso)
c) Ele sempre fica no escritório até a última pessoa sair. (até que)
d) Eu escrevi há mais de dois meses e ainda não recebi resposta. (embora)
e) Eu estudo tanto, e não consigo entender. (por mais que)
f) Para dar tudo certo, você deve confiar em mim. (para que)
g) Eu não vou à festa se eles não me convidarem pessoalmente. (a menos que)
h) Ela sempre sai antes de chegarmos. (antes que)
i) Nós temos muitos problemas, mas não vamos desistir. (embora)
j) José sempre vai ao sítio para os filhos poderem respirar ar puro. (a fim de que)

l) Eu lhe darei o dinheiro se você não gastá-lo à toa. (contanto que)
m) Não mudo de opinião nem se o mundo cair na minha cabeça. (nem que)
n) Ele é cabeleireiro, mas é careca. (embora)
o) Eles vão insistir muito, mas eu não vou vender. (por mais que)

2. Refaça as frases usando *embora:*

a) Ana não está se sentindo bem, mas veio à festa.
b) Ele não gosta de café, porém adora chá.
c) Esta roupa é feia, mas está na moda.
d) Carmem trabalha muito, mas ganha pouco.
e) Eu corri muito, mas não fui multada.
f) Ele bebeu muito, mas não ficou de fogo.
g) Eu disse a verdade, porém ninguém acreditou.
h) Ele caiu, entretanto não chorou.
i) Pedro fez treze pontos na loteria, mas não ficou rico.
j) Maurício pintou muitos quadros, mas nunca fez uma exposição.
l) Eu confessei tudo o que sabia, mas ele insistiu em saber mais.
m) Joaquim chegou cedo, mas eu cheguei antes.
n) Eu prefiro Coca, mas aceito uma Fanta.
o) Eles garantiram que ganhariam, mas acabaram perdendo.

3. Faça duas frases para cada uma das conjunções que você aprendeu nesta Unidade.

TEXTO II

São Paulo e Rio de Janeiro

Lívia gosta muito do Rio porque, além das praias, a cidade oferece muitos pontos turísticos e uma paisagem inigualável. Ela adora chegar lá de avião para apreciar o contorno da Baía de Guanabara, do Pão de Açúcar e do Corcovado. Na sua opinião, as pessoas no Rio são mais descontraídas e vivem muito melhor que em São Paulo, onde a poluição e o trânsito tornam a vida muito desgastante.

Gilberto, que gosta de vida ativa, prefere São Paulo, um centro que, apesar de toda a sua agitação, não é voltado só ao trabalho. Ele argumenta que a vida noturna oferece bem mais opções com seus inúmeros bares, teatros, cinemas e boates. Como grande apreciador dos bons pratos, cita os restaurantes de excelente cozinha espalhados pela cidade. Ele gosta de passear por São Paulo de carro para apreciar o brilho mágico dos luminosos e a diversidade étnica retratada nos bairros das várias colônias.

Gilberto não suporta o calor do Rio e aponta como um segundo ponto desfavorável o alto índice de assaltos, lembrando que lá a violência cresce a cada dia.

EXPRESSÃO ESCRITA
Onde passar o feriado?
Use a sua imaginação e monte um diálogo entre Lívia e Gilberto levando em
consideração as razões e preferências de cada um.

Sistematização

II) Presente e Imperfeito do Subjuntivo

Note como o Imperfeito pode ser usado com as mesmas conjunções,
expressões e verbos usados no Presente do Subjuntivo:

a) Passado (do Indicativo) + IMPERFEITO do Subjuntivo

o pai: Duvido que ele consiga o dinheiro!
[No outro dia...]
o filho: Pai, consegui a grana!
o pai: É mesmo? Puxa, eu *duvidei* que você *conseguisse*! Que bom!

a secretária: Esse meu chefe! Ele não acredita que eu possa fazer esse
trabalho!
o chefe: Parabéns, dona Dulce. A senhorita fez um ótimo trabalho!
a secretária: Pois é, mas o senhor não *acreditou* que eu *pudesse* fazê-lo.

o chefe: O projeto está péssimo! É necessário que vocês refaçam tudo.
[Em casa...]
Marlene: Oi, bem. Como foi o seu dia?
Vitor: Xiii! Tive um dia péssimo! O chefe disse que o projeto não estava
bom e *foi necessário* que *fizéssemos* tudo de novo!

b) Condicional + IMPERFEITO do Subjuntivo

Você já aprendeu essa combinação nas condicionais com *SE (Unidade XII)*.
Você se lembra das previsões de tempo? Vamos retomá-las:

1) Céu nublado, vento sul moderado, forte possibilidade de chuva.
— Zé, parece que vai chover essa noite. Você vai plantar amanhã?
— Não, *mesmo que* chova eu não vou plantar. Infelizmente as sementes
ainda não chegaram. E você?
— Eu vou, *a não ser que* a previsão esteja errada...

2) Tempo bom, sem indícios de chuva. Noite estrelada, sem nuvens.
— É, Zé. Nem sinal de chuva...
— Bom, *mesmo que* chovesse eu não plantaria porque as minhas sementes
ainda não chegaram.
— Ah, eu plantaria, *a não ser que* fosse uma chuva forte demais.

Às vezes essa combinação do Imperfeito com o condicional pode revelar
mais delicadeza:

Quero que você me faça um favor.
Queria (= gostaria) que você me fizesse um favor.

É melhor que você saia daqui!
Seria melhor que você *saísse* daqui.

E finalmente, quando a expressão que pede o Subjuntivo não é marcada pelo tempo (talvez), você precisa "sentir" no contexto o grau de sugestão:

Talvez amanhã seja um bom dia para pescar.
(acho que vai ser)

Talvez amanhã *fosse* um bom dia para pescar.
(acho que seria)

Diálogos Dirigidos

Para completar:

1) — O seu filho faltou a semana toda na escola. Ele está doente?
— Não, mas com todas essas notícias sobre epidemia, fiquei com medo de que ele _____ (pegar) conjuntivite!

2) — Seus tios passaram a noite num hotel?
— De jeito nenhum. Eu fiz questão de que eles _____ (dormir) em casa.

3) — O Vanderlei mandou dizer que não vem mais passar o *reveillon* com a gente.
— Eu não disse? Eu já esperava que ele _____ (fazer) isso!

4) — Você pediu empréstimo ao banco para construir a casa?
— Pedi. No início eu supus que a gente _____ (poder) construir só com a nossa poupança, mas o dinheiro não deu.

5) — O que você lhes disse?
— Depois de dar uma boa olhada em tudo, eu sugeri que eles _____ (consultar) um advogado.

6) — Nossa! A casa deles ficou horrível!
— Pois é. Quando o Carlos iniciou a construção, eu bem que aconselhei que ele _____ (contratar) um bom arquiteto.

7) — Meu filho, não estou me sentindo muito bem. Seria melhor que você me _____ (representar) na inauguração...
— Ah, pai, eu não faria isso nem que você me _____ (implorar)! Eu odeio esse tipo de coisa!

8) — No ano passado, nós tínhamos uma vaga para você aqui no Departamento de Física.
— Puxa! Que pena que naquela época eu ainda não _____ (poder) me transferir para Campinas!

9) — Você acredita que o dr. Cunha comprou mesmo aquele quadro que a gente viu lá na galeria Croqui?
— Mas era caríssimo!
— Pois é. Ele disse que valia a pena, embora _____ (custar) um absurdo!...

10) — A senhora acha que teria algum problema trazer mais duas pessoas para a recepção?
— Bem, talvez não _____ (fazer) diferença. Acho que ninguém notaria.

III) Agora, compare as possibilidades do Presente com as do Imperfeito:

Expectativa presente:

Espero que você
- GOSTE
- ESTEJA GOSTANDO
- TENHA GOSTADO

Expectativa passada:

Esperava que você
- GOSTASSE
- ESTIVESSE GOSTANDO
- TIVESSE GOSTADO

Exemplos

— Nossa! Você me disse que isso custava tão caro! Olha só que baratinho...
— É mesmo! Eu pensei que *custasse* caro.

— Você não me disse que isso estava custando caríssimo?
— É, mas não está... Eu pensei que *estivesse custando* bem mais!

— Finalmente o Gustavo comprou o carro dos seus sonhos.
— Ah, é? Quanto ele gastou?
— Uns três milhões mais ou menos...
— Só? Eu pensei que ele *tivesse gasto* bem mais!

Diálogos Dirigidos

1) — Eu corri, mas não adiantou. Quando eu cheguei lá elas já tinham saído.
— Puxa, que pena que elas já _____ (sair)! Você queria tanto encontrá-las!

2) — Por que será que no ano passado eles estavam vendendo esses apartamentos tão barato? Agora estão caríssimos!
— Sei lá. Talvez naquela época a empresa _____ (precisar) de capital de giro.

3) — Que coisa! Eu nunca tinha visto tanto luxo antes!
— Foi bom que você _____ (ver) com seus próprios olhos. Só assim para você acreditar em mim.

4) — Então o Ademar não gostou da festa surpresa? Ele me disse que tinha tanta gente e que estava tão animada! Pensei que ele _____ (gostar).
— Pois é, ele não disse nada por educação, mas acabou me confessando que detesta esse tipo de surpresa e odeia multidão.
— Puxa! Ele é tão alegre! Pensei que ele _____ (gostar) de festas!

5) — Quando visitamos o Aírton, ele ainda não tinha se recuperado da operação.
— Mas eu ouvi dizer que embora ele ainda não _____ (sarar) completamente, já estava trabalhando.

NOTA: É claro que outros verbos auxiliares podem aparecer no Subjuntivo oferecendo novas combinações.
O verbo IR, por exemplo, pode aparecer para realçar as noções do futuro:
Se você for viajar... (Você *vai viajar?*)
Pensei que você fosse viajar... (Você não *ia viajar?*)

Campinas, 30 de setembro de 1989

Douglas,

E então, amigo? Espero que esteja tudo bem com você. Estou aguardando sua resposta sobre nossos planos para o carnaval, e até agora nada! Tomara que você não tenha desistido!

Douglas, tenho algumas novidades para contar. Imagine que meu pai me convidou para fazer uma pescaria no Pantanal. Vou perder uma semana de aula, mas vai valer a pena. Nós não sabemos se vamos de carro, trem ou avião até Corumbá. Depois, para conhecer o interior do Pantanal, só mesmo de barco. Os rios são imensos, com até 25 metros de profundidade! Com a cheia, eles transbordam e cobrem toda a planície. Formam um grande alagado, assim como uma espécie de mar com inúmeras ilhas. Imagine que só o Pantanal (uma região do Mato Grosso do Sul) tem uma área quase do tamanho do estado de São Paulo! Não é inacreditável? A quantidade de jacarés, capivaras e outros animais que gostam de viver à beira d'água é surpreendente. E as aves então? Uma variedade imensa!

O grande problema é que os produtos químicos usados nas plantações de soja (são pulverizadas de avião) estão provocando um verdadeiro desastre. Os animais já estão sofrendo as conseqüências. Algumas espécies tendem a desaparecer, já que não conseguem procriar. Ouvi dizer que os ovos de certos pássaros não formam a casca protetora devido aos agrotóxicos que estão poluindo os rios. Não é um crime?

Não vejo a hora de chegar o dia da partida. Meu pai está feito eu, animadíssimo com a viagem. Ele ainda não conhece o Pantanal, apesar de já ter ido aos lugares mais incríveis, como a Amazônia, por exemplo. Lá, perto do Acre, ele viu árvores de tamanho incalculável. Numa outra parte, perto das Guianas ele conheceu muitas tribos de índios. Puxa! Você não tem vontade de fazer uma "expedição" dessas? Que aventura, hem?

Douglas, espero que você me escreva logo, porque pretendo definir nosso roteiro antes de ir para o Pantanal.

Um abração do seu amigo

Geraldo

P.S. Acabei de receber sua carta e só agora me lembrei de que os correios daqui estavam em greve. Que bom, né? Quer dizer, que alívio, né? Eu já estava preocupado com a falta de notícias! Gostei das sugestões. Amanhã mesmo vou à agência de turismo.

O que você sabe sobre os problemas ecológicos no Brasil? Converse com seu colega ou com seu professor.

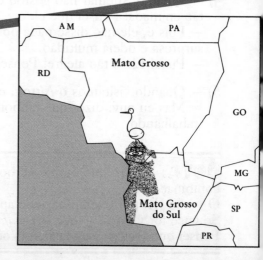

MÚSICA

Trem do Pantanal

Paulo Simões/Geraldo Roca
Canta: Almir Sater

Enquanto este velho trem atravessa o Pantanal
As estrelas do Cruzeiro fazem um sinal
De que esse é o melhor caminho pra quem é como eu
Mais um fugitivo da guerra

Enquanto este velho trem atravessa o Pantanal
O povo lá em casa espera que eu mande um postal
Dizendo que eu estou muito bem vivo
Rumo a Santa Cruz de la Sierra.

Enquanto esse velho trem atravessa o Pantanal
Só meu coração está batendo desigual
Ele agora sabe que o medo viaja também
Sobre todos os trilhos da terra

(Bis)

Rumo a Santa Cruz de la Sierra
Sobre todos os trilhos da terra.

RESUMO

Textos: No Restaurante
Carta (sobre o Pantanal e o Amazonas)

GRAMÁTICA

1. Conjunções usadas com o Presente do Subjuntivo.
2. Relação do Presente com o Imperfeito do Subjuntivo.

EXPRESSÕES

à toa (sem motivo)
fazer diferença
sei lá
não ver a hora
feito eu (como eu)
perder a cabeça

MÚSICA

Trem do Pantanal

Unidade XV

Recursos minerais

Minerais metálicos
- ■ Ferro
- □ Manganês
- △ Ouro

Minerais energéticos
- ● Petróleo
- ○ Carvão
- ○ Urânio

Colocação de Pronomes

João Ribeiro

A nossa gramática não pode ser inteiramente a mesma dos portugueses. As diferenciações regionais reclamam estilo e método diversos.

A verdade é que, corrigindo-nos, estamos de fato a mutilar idéias e sentimentos que nos são pessoais.

Já não é a língua que apuramos, é o nosso espírito que sujeitamos a servilismo inexplicável.

Falar diferentemente não é falar errado. A fisionomia dos filhos não é a aberração[1] teratológica[2] da fisionomia paterna.

Na linguagem, como na natureza, não há igualdades absolutas; não há, pois, expressões diferentes que não correspondam também a idéias ou a sentimentos diferentes.

Trocar um vocábulo, uma inflexão nossa, por outra de Coimbra, é alterar o valor de ambos a preço de uniformidades artificiosas e enganadoras.

O fato mais característico (por ser o mais estudado e conhecido) é o da chamada colocação dos pronomes.

Fora daí, há uma multidão de outros pequeninos fatos que nos atarantam[3] a paciência e dão largas ensanchas[4] aos profissionais do "que se deve dizer".

— Uma casa mobiliada.

— Não, senhor; diga uma casa "mobilada" que é como se diz em Lisboa.

— O trem "descarrilhou"...

— Alto lá! Diga "descarrilou", que é o certo. E "trem" não é palavra de bom cunho. "Comboio" é que é.

Eis o que é intolerável.

Ora pois. Somos um povo; vamos festejar um século de Independência e não temos mais que uma Gazeta de Holanda cheia de calúnias e mentiras lingüísticas.

A primeira lição elementar de todas as ciências é que objetivamente não pode haver um fenômeno bom e outro mau ou ruim.

Todos os fenômenos são essencialmente legítimos. Todos os fatos da linguagem, cá ou lá, têm igual excelência, como fenômenos.

— Não quero me alongar...

— Perdão! Não "me" quero alongar, ou então, não quero alongar-"me".

— Não há dúvida; mas eu digo por um terceiro modo, e, quem sabe se não estou a criar uma utilidade nova e um delicado matiz que a língua européia não possui! Expressões diferentes envolvem ou traduzem estados d'alma diversos.

(*A Língua Nacional*, Ed. da Revista do Brasil, Monteiro Lobato & Cia., São Paulo, sem data, pp. 8-10.)

GLOSSÁRIO
1. aberração - anomalia, irregularidade
2. teratológico - monstruoso
   (teratologia - estudo de monstruosidades)
3. atarantar - afligir, atrapalhar
4. ensanchas - oportunidade, ensejo.

Comentário

João Ribeiro (1860-1934) é autor de uma famosa gramática da língua portuguesa em que revela uma visão muito ampla para a época.

Já naquele tempo, a colocação de pronomes átonos era uma questão polêmica. Assim, vamos apresentar uma orientação bem geral ao final deste comentário.

Quanto às datas (da Independência e outras) você pode consultar o quadro no apêndice do livro que dá uma visão da história política e econômica do Brasil. Assim, você vai entender o porquê do desenvolvimento em São Paulo (ciclo do café) e a riqueza das igrejas de Minas Gerais (ciclo do ouro). E, finalmente, você vai também compreender melhor a música "O bêbado e o equilibrista", que se refere ao período do governo militar onde muitas pessoas, assim como o irmão do Henfil (grande cartunista brasileiro), foram exiladas por suas opiniões políticas que não se adequavam aos interesses do poder da época.

Sistematização

I) Colocação dos pronomes átonos

O pronome átono *não deve vir depois:* do PARTICÍPIO e dos FUTUROS (do Presente e do Pretérito):

Ele tinha me dito.   Eu me queixarei.
Eu o teria visto.   Dir-lhe-ia.

Alguns advérbios como *não, nunca, talvez,* atraem o pronome para junto de si: Não o vi.
Na linguagem formal escrita evitamos iniciar sentenças com os pronomes átonos: Disseram-me (linguagem coloquial: Me disseram).

II) Outros usos do Futuro do Subjuntivo (orações relativas)

Uma empresa japonesa vai comprar a fábrica onde Sérgio e Pedro trabalham:
Pedro: *Quem souber* falar japonês vai subir na companhia.
(Pedro não sabe se alguém fala japonês na companhia.)

A escola está se preparando para uma festa:
a professora: *Quem for ajudar* nos preparativos deve chegar bem cedo amanhã.
ou:
Aqueles que forem ajudar nos preparativos devem chegar bem cedo amanhã. (Ela não sabe quais os alunos que vão ajudar.)

Falta uma semana para o carnaval:
— Onde vocês vão passar o carnaval?
— Em alguma praia. Nós não fizemos reserva. A gente vai ficar *onde conseguir* um quarto de hotel.
(Eles não sabem onde há vagas.)

João quer comprar o carro de seu amigo Reinaldo:
Roberto: Quanto vai te custar esse carro?
João: Não sei, mas eu gosto muito dele. Vou pagar *quanto* o Reinaldo *pedir.*

ou: — Não sei, mas eu gosto muito dele. Vou pagar *o que* o Reinaldo *pedir.*
(João não sabe quanto Reinaldo vai pedir pelo carro.)

1) Faça um comentário usando o Futuro do Subjuntivo:

a) Muitos alunos vão ter dificuldade em pagar o novo reajuste da escola.
(use *quem* ou *aqueles que*)

b) Mário, onde nós vamos pôr o sofá novo?
(use *onde*)

c) Com quanto precisamos contribuir para a creche?
(use *quanto*)

d) O que você vai trazer da Europa?
(use *o que* ou *tudo o que*)

e) Querida, as poltronas não são numeradas. Ainda bem que chegamos cedo!
(use *aqueles que* ou *quem*)

f) Qual dos dois eu posso levar?
(use *qual*)

g) Eu acho que tenho oito garrafas de vinho. Quantas eu devo trazer?
(use *quantas*)

h) Delegado, parece que o ladrão fugiu para o mato. O senhor vai procurá-lo lá?
(use *onde*)

MÚSICA

Canção da América

Milton Nascimento/Fernando Brandt
Canta: Milton Nascimento

Amigo é coisa pra se guardar
debaixo de sete chaves
dentro do coração
assim falava a canção
Que na América ouvi
mas quem cantava chorou
ao ver seu amigo partir

Mas quem ficou, no pensamento voou
com seu canto que o outro canto lembrou
e quem voou, no pensamento ficou
com a lembrança que o outro cantou

Amigo é coisa pra se guardar
do lado esquerdo do peito
mesmo que o tempo e a distância digam não
mesmo esquecendo a canção
o que importa é ouvir
a voz que vem do coração

Pois seja o que vier, venha o que vier
qualquer dia, amigo, eu volto
a te encontrar
qualquer dia amigo a gente vai se encontrar

III) Você sabe que as estruturas que pedem o **Presente do Subjuntivo** não aceitam o futuro — e vice-versa —, enquanto o Imperfeito aceita as expressões, conjunções e verbos de ambos:

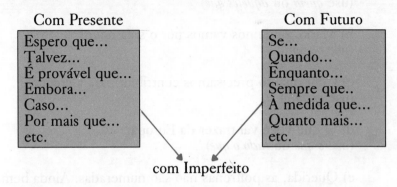

Com Presente	Com Futuro
Espero que...	Se...
Talvez...	Quando...
É provável que...	Enquanto...
Embora...	Sempre que..
Caso...	À medida que...
Por mais que...	Quanto mais...
etc.	etc.

com Imperfeito

Mas, você notou que na música "Canção da América" há uma construção em que presente e futuro ficam lado a lado?

"venha o que vier..."

Seu sentido equivale a: *não importa* (o que venha).

Exercícios

2. Transforme as frases abaixo usando essa construção:

Exemplo: *Não importa quem seja*, não vou receber.
Seja quem for, não vou receber.

Não importa o que aconteça, não vou mudar de idéia.

_____

Não importa quem venha, receberei todos.

_____

Não importa o que haja, vou conseguir o que quero.

_____

Não importa onde esteja, vou encontrá-lo.

_____

Não importa o que digam, na minha opinião ele é inocente.

_____

Ele vai fazer Medicina, *não importa o que (quanto) custe*.

_____

3. Passe os verbos grifados para o **Imperfeito do Subjuntivo**, fazendo as modificações necessárias:

Exemplos:

Ele disse: Quando eu *for* a São Paulo, vou levar você.
Ele disse que quando fosse a São Paulo, me levaria com ele.

Embora elas *sejam* irmãs, não são nada parecidas.
Embora elas fossem irmãs, não eram nada parecidas.

Regina me disse: Retire do cesto as laranjas que *estejam* podres.
Regina me disse para retirar do cesto as laranjas que estivessem podres.

Vou levar minha namorada para casa antes que *escureça*.
Levei minha namorada para casa antes que escurecesse.

a) Eu preciso de alguém que *possa* trabalhar aos sábados.
b) Nós não vamos mais fornecer material enquanto eles não *pagarem* as contas atrasadas.
c) Duvido que eles *permitam* a publicação desse artigo.
d) Hoje em dia os médicos insistem para que as mães *amamentem* seus filhos.
e) Serão convidados para o jantar somente aqueles que *puderem* colaborar com nossa campanha.
f) Vou comprar aquele carro mesmo que *tenha* que fazer um empréstimo.
g) É possível que todos já *estejam* dormindo.
h) A crise ainda é séria, embora a inflação *tenha* diminuído.
i) Talvez *seja* uma boa idéia pegar um cineminha.
j) Minha tia tem medo de que os filhos se *casem* muito cedo.
l) A agência de empregos está procurando uma secretária que *saiba* falar alemão e japonês.
m) Eu prometo levar você para jantar, assim que você *melhorar* da gripe.
n) Puxa, Carlos! Eu lamento que tudo *tenha* terminado dessa forma.
o) É bem provável que a Hilda ainda não *tenha* recebido o telegrama.
p) O Aluísio não aceitará o pagamento nessas condições, a não ser que ele *esteja* precisando muito do dinheiro.
q) Vou me casar com o Alcides mesmo que a família dele não *queira*.
r) Eu preciso disfarçar melhor, afinal eu não quero que a Adriana *saiba* que eu ainda a amo.
s) Os técnicos estão confiantes e esperam que o projeto *dê* certo.
t) Não acho que a Cláudia *seja* capaz de fazer uma coisa dessas!
u) E daí ele bate a porta e sai... sem que eu *tenha* tempo de dizer "a"!
(= dizer nada)

Vamos descansar um pouquinho?
Você deve estar "chateado" com tanto subjuntivo.
Ou será que você está "cheio"?...

TEXTO II

"Chatear" e "Encher"

Paulo Mendes Campos

Um amigo me ensina a diferença entre "chatear" e "encher". Chatear é assim: você telefona para um escritório qualquer na cidade.

— Alô! Quer me chamar por favor o Valdemar?

— Aqui não tem nenhum Valdemar.

Daí a alguns minutos você liga de novo:

— O Valdemar, por obséquio.

— Cavalheiro, aqui não trabalha nenhum Valdemar.

— Mas não é do número tal?

— É, mas aqui nunca teve nenhum Valdemar.

Mais cinco minutos, você liga o mesmo número:

— Por favor, o Valdemar já chegou?

— Vê se te manca, palhaço. Já não lhe disse que o diabo desse Valdemar nunca trabalhou aqui?

— Mas ele mesmo me disse que trabalhava aí.

— Não chateia.

Daí a dez minutos, liga de novo:

— Escute uma coisa! O Valdemar não deixou pelo menos um recado?

O outro desta vez esquece a presença da datilógrafa e diz coisas impublicáveis.

Até aqui é chatear. Para encher, espere passar mais dez minutos, faça nova ligação:

— Alô! Quem fala? Quem fala aqui é o Valdemar. Alguém telefonou para mim?

Diálogos Dirigidos

Bom, para encerrar, vamos a uma série de Diálogos Dirigidos onde você vai usar tudo o que aprendeu, inclusive o Indicativo. Boa sorte!

(Uma colaboração de Jairo Moraes Nunes)

1

Ricardo: Como você se _____ (sair) na prova ontem?

Carlos: Muito mal. Se eu _____ (estudar), eu _____ (sair-se) melhor. Não pensei que eu _____ (ir) encontrar tantas dificuldades. E você? Como se saiu?

Ricardo: Bem! Mas se eu não _____ (prestar) muita atenção nas questões, eu não _____ (fazer) nada. Elas eram totalmente confusas.

2

Márcia: Você viu o que meu namorado fez comigo? Eu o estou esperando há duas horas!

Sílvia: Se o meu namorado _____ (fazer) isso comigo, eu nunca lhe _____ (perdoar).

Jussara: Nossa! Como você está pálida! O que aconteceu?

Míriam: Se você _____ (ver) o que eu vi... Um assaltante acabou de roubar uma senhora ao meu lado!

Jussara: E o que você fez?

Míriam: Na hora, eu fiquei sem saber o que fazer...

Jussara: Se eu _____ (estar) no seu lugar, eu _____ (desmaiar) de susto!

José: Como você gasta dinheiro à toa! Se eu _____ (ser) o seu pai, não lhe _____ (dar) metade do que ele lhe dá.

Júlio: Você é que não entende os jovens! Se você _____ (ser) pai, _____ (ser) o pior pai do mundo.

professor: Quero que vocês _____ (fazer) os exercícios da lição 5 para a próxima aula.

um aluno: O senhor não quer que a gente _____ (fazer) antes os exercícios da lição 4?

professor: Não. Eu prefiro que vocês _____ (fazer) primeiro a lição 5, porque ela é mais fácil.

Pedro: Talvez a faculdade _____ (continuar) em greve.

Márcio: Tomara que _____ (continuar), porque se a greve _____ (terminar) essa semana, eu não _____ (ter) tempo de fazer todos os trabalhos.

mulher: Tomara que a Esmeralda _____ (gostar) do nosso jantar ontem. Ela fala mal de tudo e de todos!...

marido: Querida, e você acha que ela _____ (ter) alguma consideração especial por você?! É bem provável que ela _____ (falar) mal. Não sei por que você a convidou!

professor: Eu gostaria de que vocês _____ (trazer) um artigo de jornal para lermos em classe.

um aluno: Você quer que nós _____ (ler) o artigo em casa?

professor: Seria bom. Se vocês _____ (ler), sublinhem as palavras e expressões desconhecidas.

pai: Você viu a hora em que "o senhor" chegou ontem? Eu não quero que isso se _____ (repetir).

filho: Mas pai... Você não quer que eu _____ (dormir) no mesmo horário em que você, quer?

pai: Não é necessário que "o senhor" _____ (ir) dormir no mesmo horário em que eu. Mas eu não posso admitir que "o senhor" _____ (vir) para casa de madrugada, sem ter pelo menos telefonado.

filho: Tá bem, tá bem. Na próxima vez eu aviso!

10

Cláudio: Você viu aquele filme de terror que está passando no *Shopping?*

César: Eu não acredito que você _____ (assistir) àquele filme! É chocante!

Cláudio: Eu gosto de filmes assim. Eu queria que você _____ (ver) como as mulheres gritavam! Pensei que elas _____ (ir) morrer de medo.

11

Manuel: Olhe aqui o seu presente de aniversário. Espero que você _____ (gostar).

Paula: Ah, muito obrigada! Eu pensei que você _____ (esquecer-se).

12

recepcionista: Espero que vocês _____ (gostar) do nosso hotel.

cliente: Ah, muito! Mas eu gostaria de que o senhor _____ (dar) uma olhada no chuveiro, não está esquentando.

recepcionista: Pode deixar! Um de nossos empregados _____ (consertar) imediatamente.

13

Leila: Estou triste porque eu não _____ (passar) no vestibular na primeira chamada. Se eu _____ (estudar) mais, eu _____ (entrar) na faculdade.

Patrícia: Você não deve ficar tão triste assim. Talvez você _____ (passar) na segunda chamada.

Leila: Receio que eu não _____ (ser) aprovada nem numa décima chamada. Eu me saí muito mal em matemática.

14

professor: Eu queria que vocês _____ (fazer) os exercícios do capítulo 2.

um aluno: Mas o senhor já pediu que nós _____ (fazer) os exercícios desse capítulo.

professor: Ah é? Então eu quero que vocês _____ (fazer) também os exercícios do capítulo 3.

um aluno: Que droga! Se eu _____ (saber) que ele _____ (marcar) mais tarefa, eu não _____ (falar) nada...

15

Paula: Que pena que você não _____ (sentir-se) bem hoje! Está em cartaz aquele filme que nós queríamos ver.

Carlos: Espero, então, que _____ (ficar) em cartaz até que eu _____ (melhorar).

Paula: Acho que vai ficar, sim. É provável que _____ (passar) até a semana que vem.

16

filho: Mãe, posso brincar lá fora?

mãe: Contanto que você não _____ (sujar) sua roupa limpa, pode.

tia: Coitadinho! Talvez _____ (ser) melhor que ele nunca _____ (usar) roupa limpa. Ele não pode nem brincar direito...

17

garçom: Não é que eu queira me intrometer, mas não seria melhor se o senhor _____ (parar) de beber?

bêbado: Se eu _____ (precisar) de conselhos, você _____ (ser) a última pessoa no mundo a quem eu procuraria.

garçom: Nesse caso, eu quero lhe avisar que o bar está fechando. Se o senhor já _____ (pagar) a conta, eu já _____ (fechar).

bêbado: E se eu não _____ (querer) pagar a conta?

garçom: _____ (chamar) a polícia.

bêbado: Tá bem... Não é preciso exagerar! _____ (tomar) o dinheiro.

18

Henrique: É... Talvez _____ (fazer) frio hoje à noite. Jurema, você lavou aquela minha camisa branca?

Jurema: Lavei. Mas ainda não secou. Se o senhor _____ (avisar) que _____ (precisar) dela hoje, eu _____ (lavar) antes.

Henrique: Você fala como se eu _____ (saber) que tempo faria hoje!

Jurema: O senhor pode usar aquela blusa cinza...

Henrique: Aquela do tempo do meu avô? Se eu _____ (vestir) aquela blusa, todos _____ (morrer) de rir.

Jurema: Pode ser. Mas se o senhor não _____ (querer) usar a cinza, _____ (passar) frio, porque a branca só _____ (ficar) enxuta amanhã.

19

professor: Embora _____ (ser) difícil, é importante que vocês _____ (fazer) o exercício sozinhos, para que _____ (poder) fixar melhor a matéria.

aluno: Ih! É melhor que eu _____ (fazer) uma revisão da teoria primeiro.

María Elisa: Oi, meu amor, tudo bem?

Alfeu: Convém que você _____ (falar) logo o que quer porque, quando você me chama de "meu amor", está querendo alguma coisa.

Maria Elisa: Puxa! Até parece que eu não sou carinhosa com você!

Alfeu: Duvido de que você não _____ (precisar) de alguma coisa.

Maria Elisa: É só um favorzinho...

Alfeu: Tá bem, tá bem... O que você quer que eu _____ (fazer)?

Maria Elisa: Eu gostaria de que você _____ (apanhar) as crianças na escola, _____ (pegar) o meu carro na oficina e _____ (fazer) as compras da semana.

Alfeu: Ah, só isso? Se você _____ (datilografar) estas trinta cartas, eu _____ (adorar) ajudá-la.

Maria Elisa: Ah! Não é necessário! Você é muito, muito gentil...

MÚSICA

O bêbado e o equilibrista

João Bosco / Aldir Blanc
Canta: Elis Regina

Caía
A tarde feito um viaduto
E um bêbado trajando luto
Me lembrou Carlitos
A lua
Tal qual a dona do bordel
Pedia a cada estrela fria
Um brilho de aluguel

E nuvens
Lá no mata-borrão do céu
Chupavam manchas torturadas
Que sufoco
Louco
O bêbado com chapéu-coco
Fazia irreverências mil
Pra noite do Brasil

Meu Brasil
Que sonha
Com a volta do irmão do Henfil
Com tanta gente que partiu
Num rabo de foguete
Chora
A nossa pátria, mãe gentil
Choram Marias e Clarisses
No solo do Brasil

Mas sei
Que uma dor assim pungente
Náo há de ser inutilmente
A esperança dança
Na corda bamba de sombrinha
Em cada passo dessa linha
Pode se machucar
Azar
A esperança equilibrista
Sabe que o show de todo artista
Tem que continuar

RESUMO

Textos: Colocação de Pronomes
"Chatear" e "Encher"

GRAMÁTICA

1. Uso do Subjuntivo em orações relativas.
2. Colocação de pronomes.

EXPRESSÕES

ainda bem
sair-se bem/mal
não dizer "a"

MÚSICAS

Canção da América
O bêbado e o equilibrista

Apêndice

1984   São Paulo   Campanha pelas *Diretas-Já*

1) Datas e feriados nacionais

1º de janeiro - confraternização Universal.
Carnaval - móvel - fevereiro, eventualmente início de março, 46 dias antes da Páscoa.
Sexta-feira da paixão - móvel.
Páscoa - móvel.
21 de abril - Tiradentes.
1º maio - dia do trabalho.
Corpus Christi - móvel.
7 de setembro - Proclamação da Independência.
12 de outubro - Nossa Senhora da Aparecida.
2 de novembro - finados.
15 de novembro - Proclamação da República
25 de dezembro - Natal.

2) Escolaridade

Maternal - início aos três anos

Infantil - início aos cinco anos

Pré-primário - início aos seis anos

1º grau: $\begin{cases} \text{1ª a 4ª série (início aos sete anos) - antigo primário} \\ \text{5ª a 8ª série - antigo ginasial} \end{cases}$

2º grau: $\begin{cases} \text{colégio/colegial} \\ \text{normal (curso de formação para professores de 1ª a 4ª séries)} \end{cases}$

Graduação: $\begin{cases} \text{Faculdade} \\ \text{Universidade - conjunto de faculdades} \end{cases}$

Pós-graduação: $\begin{cases} \text{Mestrado} \\ \text{Doutorado} \end{cases}$

3) Tópicos da História do Brasil

22/04/1500 - Descobrimento do Brasil por uma expedição portuguesa liderada por Pedro Álvares Cabral.

25/01/1554 - Fundação de São Paulo.

01/03/1565 - Fundação do Rio de Janeiro.

1577 - Salvador, na Bahia, é sede do governo geral.

1693 - Primeiras descobertas de ouro em Minas Gerais.

1763 - Transferência da sede do governo geral para o Rio de Janeiro.

21/04/1792 - Tiradentes é enforcado por participar de um movimento pela independência do Brasil (Inconfidência Mineira).

1808 - Napoleão invade Portugal e a família real portuguesa muda-se para o Brasil.

1819 - Chegam os primeiros imigrantes (suíços) ao Brasil. De 1819 a 1959 entraram no Brasil 5.535.035 imigrantes. Além disso de 1548 a 1850 entraram no país, como escravos, cerca de 1.600.000 africanos.

 FALA BRASIL

07/09/1822 - O príncipe D. Pedro (filho do rei português D. João VI) proclama a independência do Brasil e torna-se imperador D. Pedro I.

07/04/1831 - D. Pedro I abdica. O País é governado por três regentes.

1840 - D. Pedro II é nomeado imperador aos 14 anos.

13/05/1888 - Assinatura da lei Áurea pela princesa Isabel que oficializou o fim da escravatura.

15/11/1889 - Proclamação da República pelo Marechal Deodoro da Fonseca. D. Pedro II vai para a Europa.

1921 - Fundação da Belgo-Mineira - a primeira indústria siderúrgica.

1930 - Revolução no Rio Grande do Sul, Minas Gerais e nordeste, leva Getúlio Vargas ao poder.

1945 - Getúlio Vargas é deposto.

1950/1951 - Getúlio Vargas é eleito presidente em eleições diretas.

1960 - Inauguração da nova capital federal criada no centro-oeste do país. Juscelino Kubitschek era o Presidente da República.

25/08/61 - Renuncia o presidente Jânio Quadros. Assume o governo o seu vice João Goulart. Inicia-se uma crise institucional que culmina na implantação do Parlamentarismo com Trancredo Neves sendo o 1º Ministro.

1964 - Movimento militar derruba o Presidente João Goulart.

1968 - Decretado o AI5 (Ato Institucional) que cassou os direitos civis e políticos de diversos brasileiros. Presidente: General Costa e Silva.

1978 - Congresso aprova a lei da Anistia. Voltam ao Brasil muitos exilados.

1984 - Acontece a campanha pelas *Diretas-Já*, pedindo eleição direta para Presidente depois de vinte anos de regime militar.

25/04/1984 - Câmara não aprova a emenda das Diretas-Já. Faltam vinte e dois votos.

15/01/1985 - Tancredo Neves é eleito Presidente da República por um Colégio Eleitoral, sendo o primeiro Presidente civil desde 1964.

14/03/1985 - Tancredo Neves é operado horas antes de tomar posse como Presidente da República. Assume o vice-presidente José Sarney, ex-presidente do partido que dava sustentação ao regime militar.

21/04/1985 - Morre em São Paulo o Presidente Tancredo Neves.

28/02/1986 - Lançado o Plano Cruzado. A moeda brasileira (cruzeiro) perde três zeros e passa a se chamar *Cruzado*. Todos os preços são congelados. Depois deste, mais outros planos viriam na tentativa de evitar a hiperinflação.

01/02/1987 - Abertura dos trabalhos da Assembléia Nacional Constituinte.

08/10/1988 - Promulgada a nova Constituição.

15/01/1989 - Decretado o "Plano Verão" que suprimiu mais três zeros da nossa moeda criando o *Cruzado Novo*.

15/11/1989 - Acontecem as primeiras eleições diretas para Presidente da República depois de quase trinta anos. Os jovens com dezesseis anos podem votar. Fernando Collor é eleito presidente com 42,75% dos votos.

15/03/1990 - Toma posse Fernando Collor. Um novo plano econômico é anunciado. A moeda (cruzeiro novo) volta a se chamar cruzeiro. Todos os saldos em conta corrente ou poupança superiores a Cr$ 50.000,00 (± US$ 1.200,00) ficam bloqueados por 18 meses no Banco Central. Todas as demais aplicações acima de Cr$ 25.000,00 também são confiscadas.

05/1992 - Pedro Collor, irmão do presidente acusa Paulo Cesar Farias - PC - de ter organizado um enorme esquema de corrupção dentro do governo. PC tinha sido o tesoureiro da campanha presidencial de Collor de Mello.

23/05/1992 - Chega às bancas a revista VEJA com entrevista de Pedro Collor. Pedro faz fortes acusações ao irmão e aponta PC Farias como testa de ferro do Presidente. O Congresso instala uma Comissão Parlamentar de Inquérito (CPI) para investigar as ligações de PC com Fernando Collor.

02/06/1992 - Realiza-se no Rio de Janeiro a ECO 92, Conferência das Nações Unidas sobre Meio Ambiente e Desenvolvimento.
A partir de junho de 1992 ocorrem manifestações de protesto contra o presidente em todo país. Os manifestantes se vestem e/ou pintam de preto. A cor preta foi uma resposta ao apelo do presidente que, acreditando que a população estivesse ao seu lado, pediu que todos saíssem com as cores da bandeira brasileira. A C P I termina sua investigação e conclui que o presidente está diretamente ligado a PC Farias.

29/09/1992 - A Câmara afasta temporariamente (180 dias) o Presidente de suas funções. Assume, três dias depois, o vice-presidente Itamar Franco.

29/12/1992 - O Senado dá início ao julgamento do Presidente Collor por crime de corrupção. O presidente renuncia, mas tem seus direitos políticos cassados por oito anos. O vice, Itamar Franco assume definitivamente.

02/08/1993 - O cruzeiro perde mais três zeros e passa a se chamar cruzeiro real.

4) Ciclos econômicos

1700-1803
Cana de Açúcar (Nordeste)

1532-1700
Ouro (Minas Gerais)

1800-1915
Borracha (Norte-Amazônia)

1830-1930
Café (Vale do Paraíba, São Paulo)

5) SIGNOS E ESTAÇÕES

20/01 a 18/02	AQUÁRIO
19/02 a 20/03	PEIXES
21/03 a 19/04	CARNEIRO
20/04 a 20/05	TOURO
21/05 a 20/06	GÊMEOS
21/06 a 22/07	CÂNCER
23/07 a 22/08	LEÃO
23/08 a 22/09	VIRGEM
23/09 a 22/10	LIBRA
23/10 a 21/11	ESCORPIÃO
22/11 a 21/12	SAGITÁRIO
22/12 a 19/01	CAPRICÓRNIO

PRIMAVERA
Começa em 23 de Setembro

VERÃO
Começa em 22 de Dezembro

OUTONO
Começa em 21 de Março

INVERNO
Começa em 21 de Junho

6) TEMPERATURA

7) MEDIDAS E PESOS

ESCALAS COMPARATIVAS DE TEMPERATURAS ESCALA GRÁFICA			
Centígrados ou CELSIUS	FAHRENHEIT	Centígrados ou CELSIUS	FAHRENHEIT
100	212	15.5	60
95	203	12.8	55
90	194	10	50
85	185	7.2	45
78.9	174	5	41
75	167	1.7	35
70	158	0	32
65	149	– 1.1	30
60	140	– 5	23
55	131	– 6.7	20
52.8	127	– 10	14
50	122	– 12.2	10
45	113	– 15	5
40	104	– 17.8	0
36.7	98	– 20	– 4
35	95	– 25	– 13
30	86	– 30	– 22
26.7	80	– 35	– 31
25	77	– 40	– 40
20	68		

Para converter Celsius (ou Centígrados) em Fahrenheit multiplicar por 9, dividir o resultado obtido por 5 e acrescentar 32.

Para converter Fahrenheit em Celsius, tirar 32, multiplicar o resultado por 5 e dividir o resultado obtido por 9.

- 100 C — ponto de fervura da água ao nível do mar
- 75°C — ponto de fervura do álcool
- 36.7°C — temperatura do corpo humano
- 0 C — ponto de congelação da água

CONVERSÃO DE LIBRAS PARA QUILOGRAMAS (1 até 99 libras, aumentando por 1 libra)										
Libra		10	20	30	40	50	60	70	80	90
	Kg	Kg	Kg	Kg	Kg	Kg	Kg	Kg	Kg	Kg
0	–	4.536	9.072	13.608	18.144	22.680	27.216	31.752	36.288	40.824
1	0.4536	4.990	9.526	14.062	18.598	23.134	27.670	32.206	36.742	41.278
2	0.9072	5.443	9.979	14.515	19.051	23.587	28.123	32.659	37.195	41.731
3	1.3608	5.897	10.433	14.969	19.505	24.041	28.577	33.113	37.649	42.185
4	1.8144	6.350	10.886	15.422	19.958	24.494	29.030	33.566	38.102	42.638
5	2.2680	6.804	11.340	15.876	20.412	24.948	29.484	34.020	38.556	43.092
6	2.7216	7.258	11.794	16.330	20.886	25.402	29.938	34.474	39.010	43.546
7	3.1752	7.711	12.247	16.783	21.319	25.855	30.391	34.927	39.463	43.999
8	3.6288	8.165	12.701	17.237	21.773	26.309	30.845	35.381	39.917	44.453
9	4.0824	8.618	13.154	17.690	22.226	26.762	31.298	35.834	40.370	44.906

CONVERSÃO DE QUILOGRAMAS PARA LIBRAS (1 até 99 quilogramas por 1 quilograma)										
Kg		10	20	30	40	50	60	70	80	90
	Lbs.	Lbs.	Lbs.	Lbs.	Lbs.	Lbs.	Lbs.	Lbs.	Lbs.	Lbs.
0	–	22.046	44.092	66.138	88.184	110.230	132.276	154.322	176.368	198.414
1	2.2046	24.250	46.297	68.343	90.389	112.435	134.481	156.527	178.573	200.619
2	4.4092	26.455	48.501	70.547	92.533	114.639	136.685	158.731	180.777	202.823
3	6.6138	28.660	50.706	72.752	94.798	116.844	138.890	160.936	182.982	205.028
4	8.8184	30.864	52.910	74.956	97.002	119.048	141.094	163.140	185.186	207.232
5	11.0230	33.069	55.115	77.161	99.207	121.253	143.299	165.345	187.391	209.427
6	13.2276	35.274	57.320	79.366	101.412	123.458	145.504	167.550	189.596	211.642
7	15.4322	37.478	59.524	81.570	103.616	125.662	147.708	169.754	191.800	213.846
8	17.6368	39.683	61.729	83.775	105.821	127.867	149.913	171.959	194.005	216.051
9	19.8414	41.887	63.933	85.979	108.025	130.071	152.117	174.163	196.209	218.255

CONVERSÃO DE POLEGADAS E PÉS EM METROS E VICE-VERSA													
Pol.	0	1	2	3	4	5	6	7	8	9	10	11	12	Pés
0	,0	,305	,610	,914	1,219	1,524	1,829	2,133	2,438	2,743	3,048	3,352	3,657	Mts.
1	,0254	,330	,635	,940	1,244	1,549	1,854	2,158	2,463	2,768	3,073	3,378	3,682	"
2	,0508	,356	,660	,966	1,269	1,575	1,880	2,184	2,489	2,793	3,099	3,403	3,708	"
3	,0762	,381	,686	,991	1,295	1,600	1,905	2,209	2,514	2,819	3,124	3,429	3,733	"
4	,1016	,406	,711	1,016	1,320	1,626	1,931	2,235	2,540	2,844	3,150	3,454	3,759	"
5	,1270	,432	,737	1,041	1,346	1,651	1,956	2,260	2,565	2,870	3,175	3,479	3,784	"
6	,1524	,457	,762	1,066	1,371	1,676	1,981	2,286	2,590	2,895	3,200	3,505	3,810	"
7	,1778	,483	,787	1,092	1,397	1,702	2,007	2,311	2,616	2,921	3,226	3,530	3,835	"
8	,2032	,508	,813	1,117	1,422	1,727	2,032	2,336	2,641	2,946	3,251	3,555	3,860	"
9	,2286	,533	,838	1,142	1,448	1,753	2,057	2,362	2,667	2,972	3,276	3,581	3,886	"
10	,2540	,559	,864	1,168	1,473	1,778	2,083	2,387	2,692	2,997	3,302	3,606	3,911	"
11	,2794	,584	,889	1,193	1,498	1,803	2,108	2,412	2,717	3,022	3,327	3,632	3,936	"

CONVERSÃO DE MILÍMETROS EM POLEGADAS E VICE-VERSA										
mm	–	1	2	3	4	5	6	7	8	9 mm
	Polg.	0,04	0,08	0,12	0,16	0,20	0,24	0,28	0,31	0,35
10	0,39	0,43	0,47	0,51	0,55	0,59	0,63	0,67	0,71	0,75
20	0,79	0,83	0,87	0,91	0,94	0,98	1,02	1,06	1,10	1,14
30	1,18	1,22	1,20	1,30	1,34	1,38	1,42	1,46	1,50	1,54
40	1,57	1,61	1,65	1,69	1,73	1,77	1,81	1,85	1,89	1,93
50	1,97	2,01	2,05	2,09	2,13	2,17	2,20	2,24	2,28	2,32
60	2,36	2,40	2,44	2,48	2,52	2,56	2,60	2,64	2,68	2,72
70	2,76	2,79	2,83	2,87	2,91	2,95	2,99	3,03	3,07	3,11
80	3,15	3,19	3,23	3,27	3,31	3,35	3,39	3,43	3,46	3,50
90	3,54	3,58	3,62	3,66	3,70	3,74	3,78	3,82	3,86	3,90
100	3,94	3,98	4,02	4,06	4,09	4,13	4,17	4,21	4,25	4,29
110	4,33	4,37	4,41	4,45	4,49	4,53	4,57	4,61	4,65	4,69
120	4,72	4,76	4,80	4,84	4,88	4,92	4,96	5,00	5,04	5,08
130	5,12	5,16	5,20	5,24	5,28	5,31	5,35	5,39	5,43	5,47
140	5,51	5,55	5,59	5,63	5,67	5,71	5,75	5,79	5,83	5,87
150	5,91	5,94	5,98	6,02	6,06	6,10	6,14	6,18	6,22	6,26
160	6,30	6,34	6,38	6,42	6,46	6,50	6,54	6,57	6,61	6,65
170	6,69	6,73	6,77	6,81	6,85	6,89	6,93	6,97	7,01	7,05
180	7,09	7,13	7,17	7,20	7,24	7,28	7,32	7,36	7,40	7,44
190	7,48	7,52	7,56	7,60	7,64	7,68	7,72	7,76	7,80	7,83
200	7,87	7,91	7,95	7,99	8,03	8,07	8,11	8,15	8,19	8,23

CONVERSÃO DE METROS PARA PÉS									
M	Pés	M	Pés	M	Pés	M	Pés	M	Pés
1	3.28083	21	68.89750	41	134.51417	61	200.13083	81	265.74750
2	6.56167	2	72.17833	2	137.79500	2	203.41157	2	269.02833
3	9.84250	3	75.45917	3	141.07583	3	206.69250	3	272.30917
4	13.12333	4	78.74000	4	144.35667	4	209.97333	4	275.59000
5	16.40417	5	82.02083	5	147.63750	5	213.25417	5	278.87083
6	19.68500	6	85.30167	6	150.91833	6	216.53500	6	282.15167
7	22.96583	7	88.58250	7	154.19917	7	219.81583	7	285.43250
8	26.24667	8	91.86333	8	157.48000	8	223.09667	8	288.71333
9	29.52750	9	95.14417	9	160.76083	9	226.37750	9	291.99417
10	32.80833	30	98.42500	50	164.04167	70	229.65833	90	295.27500
1	36.08917	1	101.70583	1	167.32250	1	232.93917	1	298.55583
2	39.37000	2	104.98667	2	170.60333	2	236.22000	2	301.83667
3	42.65083	3	108.26750	3	173.88417	3	239.50083	3	305.11750
4	45.93167	4	111.54833	4	177.16500	4	242.78167	4	308.39833
5	49.21250	5	114.82917	5	180.44583	5	246.06250	5	311.67917
6	52.49333	6	118.11000	6	183.72667	6	249.34333	6	314.96000
7	55.77417	7	121.39083	7	187.00750	7	252.62417	7	318.24083
8	59.05500	8	124.67167	8	190.28833	8	255.90500	8	321.52167
9	62.22583	9	127.95250	9	193.56917	9	259.18583	9	324.80250
20	65:61667	40	131.23333	60	196.85000	80	262.46667	100	328.08333

CONVERSÃO DE POLEGADAS PARA METRO		
1 pol. = 0.02540 m	5 pol. = 0.12700 m	9 pol. = 0.22860 m
2 pol. = .05080 m	6 pol. = .15240 m	10 pol. = .25400 m
3 pol. = .07620 m	7 pol. = .17780 m	11 pol. = .27940 m
4 pol. = .10160 m	8 pol. = .20320 m	12 pol. = .30480 m

Afilhado — godson.
assunto — subject/topic.